predicciones

2016

MIA
ASTRAL

predicciones

2016

MIA
ASTRAL

MARÍA PINEDA

 Planeta

Predicciones 2016
No es solo un libro de predicciones, es una guía para toda la vida.
© 2015, María Pineda (Mía Astral)

Diseño de portada y dirección de arte: Alnilam Sulbarán
Diagramación: Brincala, Laboratorio Gráfico
Corrección de estilo: Alessandra Canessa

© 2015, Editorial Planeta Perú S. A.
Av. Santa Cruz No 244, San Isidro, Lima, Perú.
www.editorialplaneta.com.pe

Primera edición: octubre 2015
Tiraje: 2,500 ejemplares

ISBN: 978-612-319-036-1
Registro de Proyecto Editorial: 31501311501085
Hecho el Depósito Legal en la Biblioteca Nacional del Perú N° 2015-15069

Impreso en Metrocolor S. A.
Los Gorriones 350, Chorrillos.
Lima, Perú, octubre 2015

índice

intro

ducción

Al final de cada año nos hacemos la idea de que el siguiente es una hoja en blanco. Si lo que teníamos pensado lograr en el último trimestre no se da a tiempo, mentalmente lo vamos organizando entre las resoluciones del nuevo ciclo, ¿no es cierto?

Todo tiene su momento, que podríamos decir que es el reloj interno que se acelera o pone más lento de acuerdo a nuestro proceso de evolución.

Antes de que empieces a leer lo que ves como "predicciones" para un año nuevo, para una hoja en blanco, te recuerdo que es justo eso: una hoja en blanco para tu dibujo libre. Las estrellas y sus alineaciones no obligan, lo que hacen es crear patrones de energía, que está disponible para que la uses como desees.

Te explico con un ejemplo: te doy dos entradas para ir al cine, pero tienen validez de tres meses. Tú las usarás cuando más te conviene y seguramente las quieres guardar para una ocasión especial o cuando creas que tienes tiempo. Y acá vamos de nuevo... al tema del tiempo.

introdu

Si bien es cierto que los patrones energéticos creados por las alineaciones duran por cierto periodo, quiero recordarte que el tiempo es una medida creada por el hombre. Te digo esto porque el año nuevo puede empezar cuando tú decidas despertar y utilizar la energía disponible.

No te presiones para lograr todo en un día, una semana, un mes o un año, es tu hoja en blanco. Si no te presionas y usas tu energía, atención y determinación en conocer cómo se sienten estos procesos para ti, sacarás más provecho que empujando y presionando, metiéndote en tu propio camino.

Quiero ayudarte a que fluyas con esta energía disponible y que si algo se da antes, o un poco después, es porque está alineándose justo para cuando estés lista. No atraemos nada que no podemos manejar y no recibimos regalos que no podemos contener.

Ya con esto dicho, vamos de la mano a explorar lo que trae este nuevo año, pero no caigamos en la trampa del tiempo. Mucho ya está pasando y lo demás pasa de lo que es el 2016, porque estamos en patrones de evolución que no se dejan medir y es justo porque tu luz y potencial tampoco pueden cuantificarse. ·

ción

dónde estamos y a dónde vamos

Antes de hablar de lo que viene en los próximos doce meses es justo ver el panorama completo.

En el 2012 empezó un patrón energético configurado por una tensión de era y una correspondencia energética. Permíteme explicarte de la manera más simple, para que puedas identificar si sentiste estos patrones fuertemente.

La tensión de era estaba conformada por Urano en Aries (revolución de consciencia) versus Plutón en Capricornio (cambio del sistema social y personas en el poder). Al leerlo así seguro sientes que no hay nada allí para ti, porque son manifestaciones colectivas y sociales. Tienes razón, tanto Urano como Plutón son planetas transpersonales, así que sus efectos van más allá de lo personal. Pero sabemos por experiencia que lo colectivo se vuelve personal y lo personal colectivo. Esta cuadratura que duró tres años (2012-2015) no solo manifestó cambios drásticos en varios países y grupos de personas que luchaban por derechos e igualdad, sino que también nos afectó a nivel personal porque despertó una urgencia por cambios, por salirnos del sistema y del deber ser.

Según la astrología tradicional, estos planetas estaban "en guerra". A ver, para explicártelo debo llevarte a 1965, cuando Urano (revolución) estaba en el mismo signo que Plutón (transformación) en el signo Virgo (de la virgen) y tuvimos la revolución sexual. Esa revolución iba más allá del sexo y lo sabemos. Se trataba de igualdad, de poder, de derechos, de mostrarnos tal y como somos. Muy bien, en ese momento Urano y Plutón trabajaron juntos, y su influencia en ese "proyecto" aún se hace sentir. Después de ese momento, cada planeta siguió avanzando a su manera y todos los astrólogos estaban esperando la próxima reunión que sería en el 2012, cuando Urano, ya en Aries, creará un ángulo de tensión con Plutón en Capricornio.

VOY A ILUSTRARLO

En el 2012 Urano y Plutón estaban en una cuadratura, que es un ángulo de 90 grados.

En una esquina

· *Urano en Aries*
La revolución de consciencia. El agrupamiento de personas que quieren luchar por una misma causa. Minorías que ya son mayorías y reclaman derechos. El avance en la tecnología. Las ganas de entender cómo funcionamos en vez de dejar que otros nos determinen.

En la otra esquina

· *Plutón en Capricornio*
Transformación en estructuras de poder. La muerte del "deber ser" como se conoce. Caída de personas que abusan de su poder. Ser nuestro propio jefe. Cuestionar la autoridad.

dónde estamos y a dónde vamos

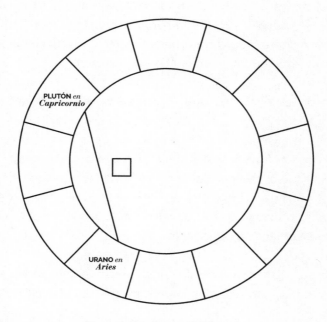

Figura 1. Cuadratura de 90 grados

dónde estamos y a dónde vamos

Por mucho que la astrología tradicional dijera que esos planetas estaban "en guerra", ambos querían y siguen queriendo lo mismo pero a su manera: que diseñemos nuestra realidad y le perdamos temor al sistema que ha funcionado gracias al miedo.

En caso de que pienses que esto pasa solo a nivel social o en estructuras políticas, te recuerdo que aún hay muchas personas con ganas de trabajar por su cuenta o en lo que aman pero no tienen certeza de que funcione si se salen del sistema. Aún hay mujeres que creen que si no se casan a cierta edad han perdido el chance. Personas que no se atreven a hablar de su orientación sexual porque creen ser juzgadas y otras en apegos y adicciones porque no saben liberarse de límites autoimpuestos.

Esto nos incumbe porque todos nos hemos visto en la posición de querer superar algo y darnos cuenta de que los viejos métodos no funcionan.

Esa cuadratura de era que duró del 2012 al 2015 constó de siete momentos de tensión a saber:

- 24 de junio del 2012
- 19 de septiembre del 2012
- 21 de mayo del 2013
- 1 de noviembre del 2013
- 21 de abril del 2014
- 15 de diciembre del 2014
- 16 de marzo del 2015

dónde estamos y a dónde vamos

Cerca de estas fechas puedes investigar para ver qué estaba sucediendo colectivamente y también en tu vida, entonces te darás cuenta de que, aunque sus repercusiones fueron fuertes a nivel social y cultural, también sentiste una revolución dentro de ti que estaba llevándote a tomar una decisión importante a mitad del 2015, ¿cierto?

Aunque la cuadratura entre Urano y Plutón se haya terminado, sus efectos perdurarán, así como los de la revolución sexual aún son influyentes.

El patrón energético que he llamado "compulsión por evolución" aún se hace sentir porque al haberlo vivido por tres años, en los que sentimos que no pudimos parar ni un segundo, ya se ha hecho parte de nuestro set de creencias y funcionamiento.

Aparte de eso de saber que aunque la tensión se acabó aún estamos operando con ella, debes saber que Urano se queda en Aries hasta el 2019 y que Plutón se queda en Capricornio hasta el 2023, así que no podemos encerrar sus efectos en el periodo de un año, ni puedo empezar a hablarte del 2016 sin que sepas de dónde venimos y cómo podemos superar ese patrón energético que ya no está activo. Debemos aprender a superarlo para aprovechar la nueva cuadratura de era que empezó en septiembre del 2015.

Antes de llegar a ese tema de la nueva cuadratura de era, te debo otro aspecto que fue protagonista del periodo 2012-2015. Se trata de la correspondencia entre Saturno en Escorpio (perder el miedo

dónde estamos y a dónde vamos

a hacer el trabajo duro) y Plutón en Capricornio (transformación en estructuras de poder). Mientras Plutón estaba muy ocupado con el señor Urano, creando una revolución y despertar de consciencia, también estaba tramando algo con su buen amigo Saturno. Resulta que en esos tres años Plutón estaba (y sigue) en casa de Saturno, y este en casa de Plutón. Para que entiendas, yo estoy en tu casa, tú en la mía y por eso trabajamos juntos. Yo no puedo hacer una fiesta en tu casa sin avisarte mientras estás de viaje, porque tú estás allá lejos en la mía y quiero que la cuides igual.

La correspondencia o mutua recepción entre Saturno y Plutón reforzó el tema del poder interno en los últimos tres años, sobre todo para la energía femenina que se estaba descubriendo "empoderada". ¿Te identificas? Esto no solo sucedió para mujeres, sino para todo aquello en lo que la energía femenina es más fuerte.

Entonces bien, dos patrones energéticos dominaron los últimos tres años. El 2015 fue un año de transición, mientras estos patrones terminaban y unos nuevos se instalaban.

La meta ahora es identificar y distinguir para elegir trabajar con el nuevo *software* cósmico. •

Los patrones energéticos importantes ahora serán:

El jarabe de la verdad o cuadratura mutable en T
Te doy el nombre que le di a este patrón para que sea fácil de recordar y el técnico, que los astroadictos verán en varios portales.

Esta cuadratura en T consta de Saturno, ya en Sagitario (perder el miedo a poner sanos límites), Júpiter en Virgo (pequeños cambios, gran efecto) y Neptuno en Piscis (inspiración que necesita ser aterrizada o corremos el riesgo de vivir en un sueño).

Esta cuadratura de era dura hasta el final del 2017, pero ciertamente con Júpiter en Virgo hasta septiembre del 2016, este año es cuando se sentirá con más fuerza.

Como ves, tuvimos tres años con una cuadratura que nos revolucionó internamente para saber quiénes somos y qué queremos compartir con el mundo, sea talento, potencial o propósito; y ahora se instala una cuadratura por casi el mismo tiempo que nos dice "bájate de esa nube y ponte a trabajar". El universo tiene una inteligencia divina, cósmica, que ni tú, ni yo, ni los científicos logramos comprender, pero es un orden perfecto. En esta universidad que es la vida, cada patrón energético tiene su "tiempo" y función, lo importante es estar conscientes y despiertos para saber cuándo acaba un periodo y estemos listos para montarnos en el otro. Acá vamos.

¿qué trae el 2016?

Esta cuadratura en T no tendrá tanta mala fama como la tuvo el *faceoff* entre Urano y Plutón (2012-2015), pero será más fuerte porque estará acompañada de eclipses en dos signos donde hay planetas que la conforman, que son Virgo y Piscis, polaridad o axis que nos cuenta cuál será el *mood* del año y los temas que más llamarán nuestra atención.

CUADRATURA EN T EN ESPECÍFICO

Como les mencioné anteriormente, la cuadratura en T consta de lo siguiente:

Hay 4 signos de modalidad mutable: Géminis, Virgo, Sagitario y Piscis.

Los signos mutables son los de transición, cambio, flexibilidad y adaptación. No importa qué signo seas, estarás operando con la energía mutable en los próximos doce meses mientras nos adaptamos a este nuevo patrón energético.

De esos cuatro signos mutables, tenemos tres bases llenas. En el 2016 tendremos a:

- Júpiter en Virgo
- Saturno en Sagitario
- Neptuno en Piscis

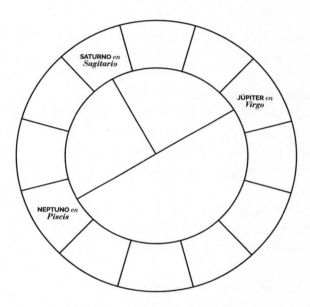

Figura 2. Cuadratura en T

Nos queda una base vacía que es el signo Géminis, por eso, si lo viéramos dibujado, notaríamos que en la rueda zodiacal se crea una T. Si Géminis fuera una base llena tendríamos una cruz o cuadro mutable, lo que sería una tensión total.

Como tenemos una base vacía, la energía tiene una salida y para saber por dónde es, tendrías que buscar la zona Géminis de tu carta zodiacal, de la que hablaré en cada signo, y desde ya te hago saber que el mes de junio, cuando habrá varios planetas en Géminis, tendremos alta fuga o salida de energía, depende de cómo manejes las situaciones.

¿qué trae el 2016?

Para que entiendas mejor sobre esta tensión que llamo "el jarabe de la verdad", te explico:

*   ### *Sobre Júpiter en Virgo*
Júpiter es el planeta de la expansión, crecimiento y oportunidades. Si Júpiter fuera una persona, sería alguien muy generoso, a veces derrochador que quiere que todo el mundo goce y la pase bien. Es como el tío que siempre trae regalos.

Júpiter rige el signo Sagitario y también Piscis. Si este planeta está en uno de sus signos, está a todo dar, pero si está en uno de los signos opuestos a los que rige, está incómodo, como sucede ahora.

¿Por qué Júpiter está incómodo en Virgo?
Pues porque Júpiter es expansión y Virgo no quiere nada de lo que no necesita, no está pensando en crecer. Júpiter es exageración y Virgo es frugal. Júpiter es "ver el gran contexto" y Virgo es "poner atención en los detalles".

Podríamos decir que su energía es contradictoria, pero también podemos trascender de la mente basada en ego y verlo como una buena oportunidad para aprender a sacarle el jugo a nuestros recursos, pulirnos, tomar oportunidades para crecer lento pero seguro, aprender a ahorrar, aprender moderación y a darnos antes de darle a los demás.

Por otro lado, nos importa mucho Júpiter porque al regir los signos Sagitario y Piscis, está rigiendo a los otros planetas que conforman la cuadratura en T.

• ### Sobre Saturno en Sagitario

Saturno es el planeta de la sana restricción. Aunque esta palabra "restricción" te suene fuerte, la "sana restricción" es la que más adelante nos da satisfacción. Por ejemplo: ahorrar para tener seguridad, comer moderadamente para mantener un buen peso. Saturno también representa trabajo duro y por eso mucha gente le tiene idea, pero en el plano astrológico todo lo que vemos manifestado en la realidad ha tenido su dosis fuerte de Saturno, porque es el planeta que asegura la determinación y perseverancia. Para que me entiendas mejor, quiero que imagines que al fin conociste a tu pareja ideal; es hermoso estar juntos y compartir, se entienden muy bien, pero un día te dice: "todo bello, pero no quiero compromisos". Por dentro bien podrías estar gritando "¿dónde está el Saturno de esta persona, por Dios?", exacto. Amamos a Saturno porque las bendiciones solo serán disfrutadas por aquellos que se comprometen, sea con su propósito, trabajo o relaciones personales. Además, eso de que "Juan" le tiene miedo al compromiso es muy "Casanova 90" y eso ya no es sexy. Queremos ver a Saturno en todo y nos comprometemos todo el tiempo con citas, reuniones, llamadas de negocios, etc. Es hora de perderle el miedo a este señor que a la hora de la chiquita nos ayuda mucho.

¿qué trae el 2016?

Saturno en Sagitario tiene mucho trabajo. Te cuento, Sagitario es el signo del planeta Júpiter y como él, es el signo de la expansión, crecimiento, oportunidades, derroche, generosidad y exageración. Mientras Júpiter está en Virgo aprendiendo a ahorrar y administrarse, Saturno está en el signo de Júpiter haciendo exactamente lo mismo.

Lo tienes claro, el 2016 es un año de trabajo y de madurez, porque eso de desgastarnos en tiempo o dinero, no nos caerá nada bien.

¿Cómo así?
* ¿Estar en una relación de diez años y contando, a ver si el tipo al fin propone? No... Adiós.

* ¿Quedarte despierta hasta las dos de la mañana para ver un programa que te gusta? Ummm... nada vale las horas de sueño reparador.

* ¿Gastar hoy porque igual ganas dinero mañana? Mejor no. La última vez se tardaron en pagar.

* ¿Comprar siete pares de zapatos baratos en vez de uno bueno que dure mucho tiempo? Lo último, mejor.

Saturno en Sagitario trabaja de la mano con Júpiter en Virgo y así lograremos tomar lo descubierto en los últimos tres años, en relación a tu talento, creatividad y ganas de moverte de lugar, para ponerlo a trabajar y manifestar una nueva realidad con calidad de vida.

• **_Sobre Neptuno en Piscis_**

Neptuno es el rey del océano, de la inmensidad, con Júpiter rige el signo Piscis donde se encuentra.

Como está en residencia, Neptuno y Piscis significan lo mismo: inspiración, lo etéreo, la creatividad, lo divino, amor incondicional, lo espiritual.

Esto suena fantástico, pero estamos en un mundo material, tenemos que aprender a usar muy bien esta energía porque, si no, nos quedamos en fantasías y expectativas.

Lo bueno es que la influencia de Neptuno es muy suave y solo se siente fuerte o nos sentimos inspirados al máximo o (en su baja energía) en dispersión, cuando es la temporada Piscis y Virgo.

Sin embargo, claro está que con Júpiter en Virgo y Saturno en Sagitario vamos a tomar la energía de Neptuno en Piscis para crear un plan y trabajar consecuentemente en él. Ha quedado claro, el 2016 es un año para trabajar en nuestros sueños y manifestar. •

¿qué trae el 2016?

MANIFESTACIONES POSIBLES DE ESTA CUADRATURA EN T

- Júpiter en Virgo traerá avances en la medicina. El futuro del bienestar está en enfocarnos en la prevención con buena alimentación, mejores elecciones de vida y meditación. La parte espiritual será importante en procesos de sanación.

- Los *fit-hipsters* estarán más fuertes que nunca. Ya hace un tiempo tenemos gurús de *fitness* y el buen comer apoderándose de las redes sociales, cosa en la que Júpiter en Virgo puede ayudar pero Saturno en Sagitario va a limitar. Si es para concientización sobre la vida sana, habrá crecimiento, pero si es para perpetuar la idea de un ideal malsano de figura o hábitos alimenticios extremos, pues, no.

- Habrá nuevos suplementos que no se ven tanto como vitaminas, sino como dosis de *superfoods* que nos hacen bien.

- Mitos como "la leche de almendra es la mejor" o "la batata es mejor que la papa" serán erradicados. No pueden seguir vendiéndonos productos de moda, queremos la verdad y a buen precio. La demanda de algunos productos de moda ya está saliéndose de nuestras manos

- Los asistentes o personas que se pensaba que no eran esenciales en una compañía van a demandar mejores pagos y beneficios.

- Habrá cambios en las leyes o distribución de productos en farmacias gracias a Saturno en Sagitario y Júpiter en Virgo.

¿qué trae el 2016?

- Habrá cambio de las leyes de inmigración gracias a Saturno en Sagitario.

- Habrá cambios en las leyes en aerolíneas y vuelos gracias a Saturno en Sagitario.

- Esperemos nuevos *software* de organización. El *quickbooks* del futuro y superavanzado que nos hace la vida (cruzando los dedos) más fácil.

- La lucha por la igualdad en derechos se hará más fuerte, más justa y dará mejores resultados.

- En junio puede haber situaciones con sindicatos. Desde abril se estarán caldeando los ánimos para ver cambios por ramos profesionales específicos. En la unión, sin duda, está la fuerza.

- Se puede encontrar curas para enfermedades que hasta ahora pensábamos que no tenían.

- Cambios en control de natalidad.

- Experimentos con genes.

- En nuestra vida profesional, pequeños cambios darán grandes resultados, y es el mejor momento para volver a estudiar, certificarnos, hacer pasantías o ayudar en un lugar donde podamos aprender.

¿qué trae el 2016?

Sobre el axis Virgo-Piscis

Los signos Virgo y Piscis son donde habrá más concentración de energía en el 2016.

Estos signos son opuestos y al contrario de lo que piensas, signos opuestos no son rivales, más bien, son dos caras de la misma moneda, dos maneras de ver una misma situación.

Piscis es el signo del espíritu; Virgo, el del cuerpo y sus funcionamientos. ¿Has escuchado eso que dice: "Eres un espíritu viviendo una experiencia humana y no al revés"? Ese es el axis Virgo-Piscis.

Un cuerpo sin propósito no manifiesta nada que cree inmortalidad. Un propósito sin móvil no puede llegar lejos, debe estar encarnado. Por eso, estas energías se necesitan y complementan.

No teníamos este axis tan activo hace muchos años, y el que tenemos nos cae muy bien con lo vivido y aprendido en los últimos tres. Sin duda, se nos estaba preparando emocional e intelectualmente, para este renacer espiritual que nos hará crear mejor calidad de vida. •

os eclipses son las "herramientas" cósmicas más efectivas para alinearnos con nuestro propósito.

Si lees los periódicos, seguro te encuentras con noticias antes o después de uno de estos eventos y fotos de donde se han visto.

Más allá del fenómeno cósmico que son los eclipses, son MUY importantes. Se dan en pares y pares, es decir, de dos en dos, uno al inicio del año y otro al final. Siempre hay un eclipse de luna nueva y uno de luna llena, con 15 días de separación.

Es importante que entiendas que...
Los eclipses se dan en puntos matemáticos, que se llaman nodos lunares del karma. Esto no es un cálculo astrológico, es astronómico. Los nodos son puntos de intersección entre el arco lunar y solar imaginario.

Te explico...
Imagina que nos echamos en la pradera a ver el Sol salir y ponerse, lo mismo con la Luna. Ambas luminarias trazarán un arco en el cielo del día a la noche, ¿cierto? Bueno, en esos arcos imaginarios que

los eclipses

trazamos con los dos, encontraremos un punto donde se cruzan. Eso es un nodo.

Definido por un diccionario
"Un nodo es un punto de intersección o unión de varios elementos que confluyen en el mismo lugar".

En astronomía
"Un nodo es cualquiera de los dos puntos en que una órbita corta a un plano de referencia, que puede ser la eclíptica o el ecuador celeste. Hay dos nodos: nodo *ascendente*, cuando el cuerpo, al seguir la órbita, pasa del sur al norte, y nodo *descendente*, cuando pasa del norte al sur. Ambos nodos están diametralmente opuestos".

Tiene ciencia
El nodo es el punto matemático imaginario donde la Luna y el Sol se encontrarían si trazaran el arco al mismo tiempo; hay uno que tú y yo podríamos ver, por el arco que hacen en nuestro cielo y otro que se está creando del otro lado de la Tierra, donde tú y yo no vemos.

Los nodos siempre son dos y siempre están en signos opuestos. En la astrología los nodos son lunares, porque la Luna es nuestro satélite y son del karma, porque tienen que ver con patrones energéticos que traemos del pasado para superar, que al terminar esta vida nadie puede definirte cómo "ella era Piscis". Suena complicado, explico un poco más de este tema superinteresante.

¿Has escuchado del dharma y el karma? Son palabras budistas que significan lo que uno debe en esta vida, y lo "que la vida" te debe a ti. También puede verse como mal karma y buen karma. Todos tenemos esa idea grabada dentro, desde pequeños, así no sepamos de espiritualidad o astrología, lo usamos mucho. Bueno... esta idea también la tienen los kabbalistas, es el tikun.

Karma, dharma, tikun o nodos lunares representan lo mismo: la idea de que reencarnamos, que traemos deudas del pasado que saldar aquí y que nuestras buenas acciones nos abren oportunidades.

El año en que naciste, los nodos del karma estaban en dos signos opuestos, allí ocurrían los eclipses en ese año particular. Saber dónde están tus nodos te contará qué vienes a dejar o superar y qué buen karma puedes acumular en tu cuenta bancaria estelar.

Como este libro no es para descifrar tu karma y cómo pagarlo, me voy directamente a lo que estamos viviendo este año.

Así como tú tienes tus nodos, cada año tenemos eclipses en los nodos y nos afectan a todos. Para que entiendas, voy a viajar al pasado: del 2012 al 2014, los nodos estaban en Tauro y Escorpio. Tuvimos seis eclipses en estos signos cuya energía hizo que TODOS los signos resolviéramos asuntos de confianza, asociaciones, dinero en conjunto, miedo al compromiso entre varios. A partir de febrero del 2015 y hasta noviembre, los nodos estaban en el axis Aries-Libra, así que los temas más importantes eran: ¿quién soy yo?,

los eclipses

¿quién soy dentro o fuera de una relación de pareja? Mucha gente se comprometió, se asoció y también estaba en la búsqueda de quién soy y qué me gustaría hacer, cómo proyectar mi imagen. En noviembre del 2015 los nodos entraron al axis Virgo-Piscis y miren más allá. No se trata de que siempre se da así, de que tenemos muchas cosas pasando en estos signos y allí son los eclipses. Cuando los eclipses estaban en Aries-Libra eran los únicos eventos en esos signos.

Es una casualidad-causalidad cósmica muy grande que justo cuando Júpiter está en Virgo tengamos eclipses en ese signo y su opuesto. La última vez que Júpiter estuvo en Virgo fue del 2003 al 2004, y en ese momento los nodos estaban en Tauro y Escorpio. Si lo queremos ver por el lado de Neptuno, la última vez que este planeta estuvo en Piscis fue en el siglo XIX y la última vez que tuvimos eclipses en los signos Virgo-Piscis fue hace diecinueve años. Les cuento todo esto porque es realmente impresionante que tengamos la cuadratura en T con planetas en estos signos y, además, eclipses en ellos.

CÓMO SE MANEJAN LOS ECLIPSES

Los eclipses son los únicos eventos que no puedes controlar y que no tienen que ver con experiencias a voluntad y a consciencia. Los eclipses tienen que ver con nuestro desarrollo espiritual, con la razón de encarnación. Cada eclipse te acerca a lo que has venido a hacer, y duelen tanto como lejos estés del carril de tu tren. Si yo no estuviera trabajando en lo que hago y amo, quizá el eclipse me daría muy duro para que no me quedara más que buscar ayuda, con un *coach* que encienda la llama que ya estaba en mí, y me certificará más adelante. Es así: cada eclipse te saca de un plan diseñado por el ego y te alinea con tu verdad.

Es importante que sepas que así como tú tienes tus nodos en tu carta de nacimiento, los nodos del momento también te afectan. Por ejemplo: digamos que el año en que naciste los eclipses estaban sucediendo en Géminis y Sagitario, lo que quiere decir, que has venido a enseñar (entre varias cosas); eso sigue siendo verdad, pero estos eclipses del 2016 te van a ayudar a soltar (Piscis) lo que estás haciendo y lo que creía tu ego que era lo mejor para ti, para que empieces a practicar o a ser asistente en un trabajo o proyecto que tiene que ver con lo que has venido a desempeñar (Virgo).

Podríamos decir que estos eclipses que vienen en Virgo-Piscis nos ayudan a todos a soltar y a volver a empezar con prácticas diarias. Para muchos, se trata de soltar la idea del YO para abrirse a vivir con alguien, y eso es verdad para los que son Aries, Cáncer, Libra y Capricornio de Sol o ascendente. Para quienes son Tauro, Leo, Escorpio o Acuario, se trata de cambiar de prioridades y escoger lo mejor para su bienestar y familia; para los Géminis, Virgo, Sagitario y Piscis, para comenzar el trabajo o la relación más importante de su vida.

los eclipses

Como te dije en un inicio, la energía de los eclipses no puede ser controlada. Siendo Sagitario, por ejemplo, no puedo decir: "Voy a controlar todo y voy a encontrar el trabajo de mi vida". No. Los eclipses harán lo suyo y así me aferre a un trabajo que no amo, estos eventos encontrarán la manera, con circunstancias fuertes, de llevarme a donde debo estar. Los eclipses "duelen" o traen eventos dolorosos si pongo resistencia, pero si he trabajado mi conciencia y sé que hay algo que debo cambiar, lo mejor que puedo hacer es quitarme de mi propio camino y fluir, porque lo que viene será mucho más auténtico para quien soy de verdad y explotará mi potencial. •

¿cuáles son los eclipses de este año?

Este año tenemos cinco eclipses:

- **Primer par**

  El 8 de marzo en Piscis: este será un Eclipse total de Sol. Es total, porque se dará muy cerca del nodo, del punto de intersección lunar y solar. Como todo eclipse de Sol, se da al momento de la luna nueva. Estos eclipses son de inicios, nuevas oportunidades, pero ya saben, todo inicio implica un final.

  El 22 de marzo en Libra: este será un eclipse penumbral de luna llena y no es total, porque no se dará tan cerca de los nodos, sin embargo, es bastante potente. Seguramente te preguntarás por qué si estamos con los nodos en el axis Virgo-Piscis tenemos un eclipse en Libra y la razón es que el nodo en Virgo está aún muy cerca de ese signo, de Libra, donde teníamos los eclipses antes. Es lo que llamo un eclipse de "ñapa", que te ayudará a resolver lo que haya quedado inconcluso de momentos en el 2015 cercanos a: los últimos días de marzo y hasta el 6 de abril del año pasado, un evento emocional muy fuerte que se dio al final de septiembre, también del año pasado.

- **Tercer eclipse**

  El 18 de agosto en Acuario: este es un eclipse de penumbral de luna llena, siempre son emocionales y son de finales. De nuevo cabe la pregunta: ¿por qué es en el signo Acuario

¿cuáles son los eclipses de este año?

si estamos en el axis Virgo-Piscis? Acuario es el signo que está al lado de Piscis y el eclipse se ha alejado del nodo. Este es otro eclipse de "ñapa", pero también de preview, como cuando vemos cortos de una película antes de que se estrene. Este evento nos contará acerca de los eclipses que están por venir en el axis Leo-Acuario que tienen que ver con cambios en grupos de amigos, pertenecer, hacer giras, trabajar con tu talento pero dejando el ego en la puerta. Si algo vamos aprender con este eclipse en Acuario, es a valorar nuestra libertad y liberarnos de lo que sea que nos está limitando o editando, también nos llevará a defender quién somos. Muchas personas saldrán del closet y demostrarán lo que de verdad les hace sentir auténticos.

- **Segundo par**
El 1 de septiembre en Virgo: es un eclipse anular de luna nueva, que representa inicios, pero más que inicios desde cero, se trata de nuevos impulsos a proyectos ya existentes o a cambios que quieras hacer que mejoren tu estilo de vida. Además, debido a las alineaciones presentes al momento del eclipse, lo nuevo y foráneo te llama.

El 16 de septiembre en Piscis: es un eclipse penumbral de luna llena. Como todo eclipse de luna llena es emocional, puede "sacar" a una mujer de tu vida y como Piscis es el último signo del zodiaco, esto puede sentirse muy final y decisivo. Este eclipse será duro para las personas que

¿cuáles son los eclipses de este año?

saben que deben buscar ayuda para salir de negaciones, adicciones y fantasías, pero se resisten. Es un eclipse muy bueno para buscar asistencia, un coach o empezar terapia. empezar terapia.

Ajá... se dieron cuenta que el segundo par nos trae 3 eclipses seguidos. Ya sabemos que la segunda mitad del 2016 se acelera el paso con los cambios que tendremos que alinear con nuestro propósito. Es muy raro tener tres eclipses seguidos, por eso, si nos proponemos hacer el trabajo duro la primera mitad del año, la segunda parte solo nos impulsará y acelerará para llegar a donde queremos llegar. •

M

ercurio retrógrado sí es un tema que todos conocen y muchos le temen. Aprovecho la oportunidad para comentarte que ningún planeta gira hacia atrás, es solo un efecto visual desde nuestro punto de vista y que esto no causa que se te pierdan las cosas. Al entender que Mercurio rige como pensamos y procesamos, que cuando está retrógrado estamos más tímidos, reflexivos y retraídos, es normal que te quedes "aletargado en el tiempo" o que se te quede algo que necesitabas para el trabajo en tu casa. ¿Nunca te ha pasado que estás como en otro mundo, distraída con un tema en particular echándole mucha cabeza? Bueno, así es Mercurio retrógrado, causa caos, porque todos estamos pensando a destiempo y como el pensamiento lleva a la acción, también actuamos de manera errática.

Pero Mercurio retrógrado es un periodo necesario para bajar las revoluciones, para dejar de pensar en qué están haciendo los demás y reflexionar sobre nuestra vida. Por ahí dicen que una vida sin reflexión no tiene sabiduría ni riqueza, que es la reflexión lo que nos hace apreciarla, crecer y aprender y para eso tenemos este proceso que usualmente se da tres veces al año, pero como el 2016 es tan especial, lo tendremos cuatro.

mercurio retrógrado

LOS CICLOS RETRÓGRADOS DE MERCURIO ESTE AÑO

1° Mercurio retrógrado entre Acuario y Capricornio
Inicia el 5 de enero en el grado 1 de Acuario
Termina el 25 de enero en el grado 14 de Capricornio

2° Mercurio retrógrado en Tauro
Inicia el 28 de abril en el grado 23 de Tauro
Termina el 22 de mayo en el grado 14 de Tauro

3° Mercurio retrógrado en Virgo
Inicia 30 de agosto en el grado 29 de Virgo
Termina el 22 de septiembre grado 14 de Virgo

4° Mercurio entre Capricornio y Sagitario
Inicia el 19 de diciembre en el grado 15 de Capricornio
Termina el 8 de enero del 2017 en el grado 28 de Sagitario

De manera general, lo más importante a considerar es que Mercurio estará retrogradando en gran parte de signos de tierra. La tierra es el elemento que representa el mundo material, así que una de las lecciones de este año es el desapego: desapego a los resultados y trabajar de todas maneras con entusiasmo. Desapego a lo material para poder movernos de lugar con facilidad y la urgencia de establecer una mejor relación con la materia, empezando con nuestro cuerpo, por la acumulación de energía que tendremos en Virgo durante todo el año.

Por otro lado, los ciclos de Mercurio retrógrado por darse en signos de tierra, nos darán "tiempo robado" para planificar mejor las movidas de trabajo. Por ejemplo: la segunda retrogradación que se da en Tauro, nos brinda tres oportunidades para pedir un préstamo o para dar la inicial de un negocio. Tres es mejor que una, y en tres partes también nos beneficia.

Si aprendiéramos a ver lo bueno en todo lo que presenta el universo, cambiaría nuestra actitud y le sacaríamos partido, y eso es lo que te voy a explicar signo por signo en el horóscopo del año. •

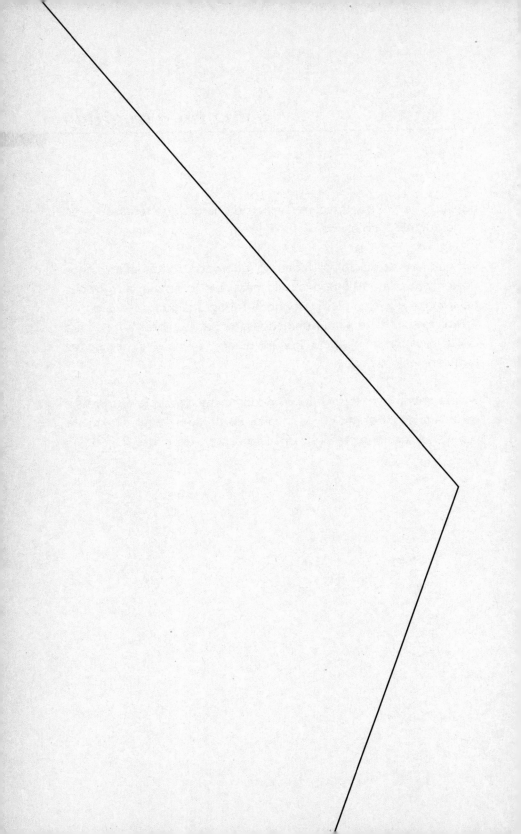

marte retrógrado

Mercurio no es el único que retrograda, también retrogradan los demás planetas. En el 2016 nos llama la atención la retrogradación de Marte, ya que este planeta retrograda una vez cada dos años. Por supuesto, no es lo mismo que Mercurio retrógrado, que nos hace pensar a destiempo. Marte se trata de acción, energía masculina, libido, asertividad y la idea que tenemos del YO.

Cuando Marte retrograda los hombres pierden su *mojo* y las mujeres perdemos el impulso para iniciar cosas como entrenamientos físicos, nuevos proyectos o peor... perdemos nuestra identidad en una relación (puede ser de cualquier tipo). Aunque estos son "síntomas generales", debemos tomarlos en cuenta y tenerlos bajo vigilancia, porque a conciencia y voluntad podemos impulsarnos sacando energía de reservas. Ya en el horóscopo de cada signo comentaré cómo te afecta.

Marte retrogradará en el signo Sagitario del 17 de abril al 29 de junio, pero sus efectos se empezarán a sentir desde el 17 de febrero hasta el 22 de agosto. ·

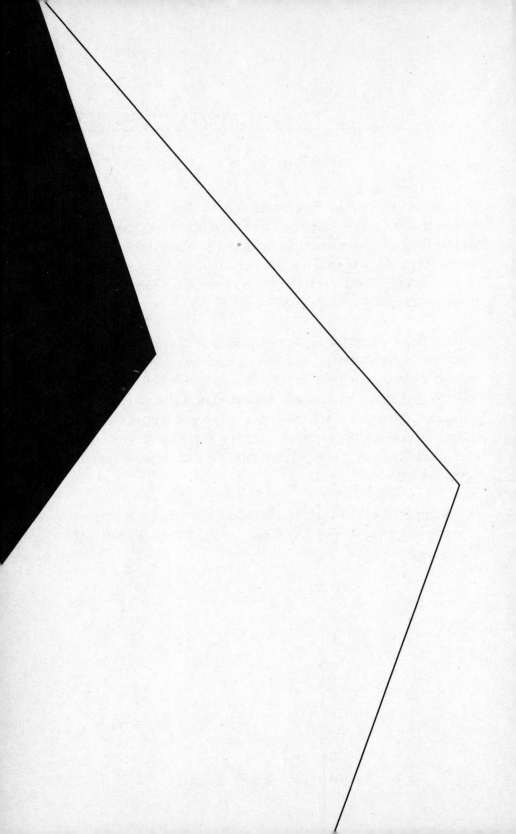

CICLOS DE AHORRO

Para saber cuáles son los meses en los que tenemos que apretarnos el cinturón, revisemos la retrogradación del planeta Júpiter, que es el de la abundancia. Júpiter retrogradará en el signo Virgo del 7 de enero al 9 de mayo. De manera general, estaremos en un periodo de mucho trabajo, revisión de trabajo anterior, más horas de dedicación y misma paga o menor. Esto puede ser muy frustrante, pero mi recomendación es que al ver que no solo vas a tener que ahorrar, sino aprender a administrar tus recursos, ahorres con anticipación y administres bien tus horas de descanso ordenando prioridades.

Otro ciclo que me llama la atención es el de la retrogradación de Saturno, planeta de los límites. Saturno retrograda del 25 de marzo al 13 de agosto en el signo Sagitario. Usualmente cuando Saturno retrograda hay límites que se relajan, pero como coincide con la retrogradación de Júpiter y este planeta rige Sagitario, lo que advierten estas energías paralelas es que tratando de sentirte mejor por mucho trabajo, gastes lo que no tienes. Por eso lo comento, porque tenemos que recordarnos ser adultos aquí. •

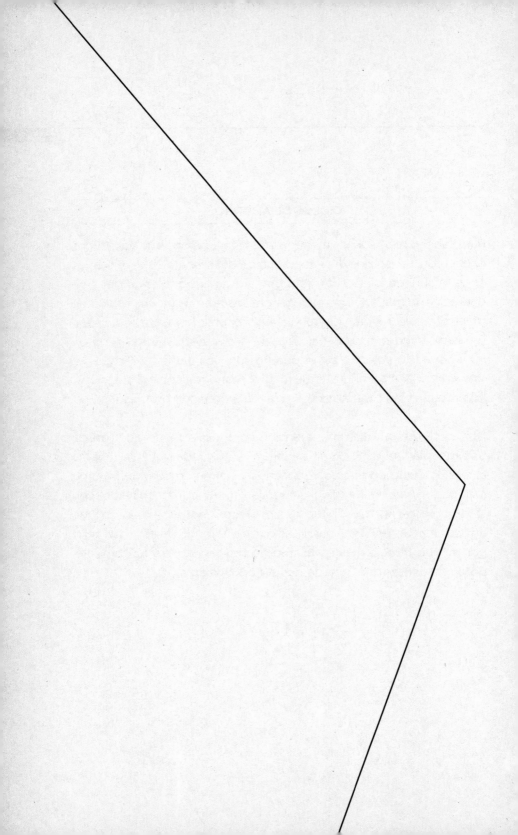

CICLOS DE EXPANSIÓN

Una vez que Júpiter despierta, todo se empieza a mover. Como ya sabes, Júpiter arranca directo el 9 de mayo, pero debemos esperar hasta que salga de la sombra el 7 de agosto para hacer una gran inversión, o porque con esa fecha coincidirá el final de un proyecto que puede darte mucho en ganancias. También es del 7 de agosto al 9 de septiembre cuando verás los "regalos" que Júpiter ha dejado en la zona Virgo de tu carta astral. Del 9 de septiembre a enero del 2017, también tenemos un ciclo de expansión pero en la zona Libra de nuestra carta, también en temas de matrimonio y asociaciones. •

mirada
signo
por sig

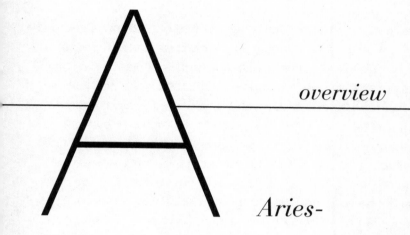

overview

Aries-

El 2016 es un excelente año para manifestar tu sueño de mudarte al extranjero gracias a una oportunidad de trabajo, también para vender tus productos en otro país, tener franquicias, hacer crecer tu audiencia, escribir y publicar un libro, certificarte en algo que te gusta, viajar mucho o casarte con alguien que tiene un *background* cultural diferente al tuyo. La cuadratura en T, que estará activa durante todo el año, te empuja a trabajar en el extranjero o con temas que envuelven elementos foráneos. Los retos están en seguir el protocolo legal, aprender a que todo tiene su método y que no puedes imponer tu forma o perder la paciencia. Otro reto es tener el coraje de cortar lazos con elementos pasados y soltar apegos a personas, lugares o hábitos que drenan energía para todas las movidas que vienen en los próximos doce meses, en los que te aseguro, no habrá mucho tiempo de descanso, a diferencia del 2015 cuando Júpiter en Leo te regaló más de una vacación.

overview

Ahora, es muy importante resaltar que aunque el 2016 no da tiempo de descanso, tener mucha energía en signos de tierra te permitirá alcanzar cumbres y reconocimientos profesionales, que bien merecías por todo lo que has trabajado del 2008 hasta acá. Otra de las ventajas de este año es que en cuestiones de salud, cuerpo y mejor calidad de vida, Júpiter te ayuda los primeros nueve meses del año, así que si una de tus resoluciones es estar en forma, sentirte mejor contigo misma o tener un horario organizado que te permita tiempo de ejercicio, lo tendrás. Todo esto puede sonar banal, pero tiene una buena razón que entenderás al final del año: en septiembre Júpiter entrará en el signo Libra, iniciándose para ti el mejor ciclo de un año en doce años, para casarte o conseguir la pareja ideal. Es importante aprender a cuidarnos antes de cuidar a otro, por eso, el "entrenamiento" de poner tu vida en orden, de lograr algo importante a nivel profesional, se hace primero para que después puedas dedicarte de lleno a esa experiencia con alguien que es diferente en cultura, pero muy similar en intereses.

Con el apoyo de Júpiter en Virgo y de Saturno en Sagitario, lograrás más saliendo de la zona cómoda, en todo sentido, que quedándote en el mismo lugar real y emocional.

Como te comenté al inicio, al final de este año el mejor de los planetas estará visitando el signo Libra, algo que sucede una vez cada doce años. La última vez que Júpiter estuvo en Libra fue de septiembre del 2004 a octubre del 2005 y si recuerdas qué pasó allí, tendrás referencia de qué se trata este maravilloso tránsito, pero ahora será más grande, porque estás en un nivel más elevado de consciencia. Aparte de esto, también es bueno recordar que en el periodo del 2009 al 2012 fue el planeta Saturno el que pasó por Libra, y recibiste las lecciones más duras en cuestión de relaciones personales y asociaciones. Bueno, el paso de Júpiter por esa zona después de que tuviste eclipses allí, en el periodo 2014-2015, ya te tiene lista para abrir tu corazón a alguien con quien puedas planificar futuro. Lo mejor es que:

- Se termina una racha de atraer personas menores y al fin atraes a alguien que admiras, a tu nivel o mejor.

- Júpiter entra en Libra, sí, además Júpiter sigue en el signo Sagitario que representa el extranjero, y donde está el planeta de los compromisos que es Saturno. Es por esto que te repito una y otra vez, que lo tuyo tiene otro acento y que te saca completamente de la zona cómoda. Lógicamente el mejor periodo para conocer a esta persona serán los últimos tres meses del año, pero en julio y septiembre puedes conocer personas que te entretienen o a esta persona especial de manera informal, pues la energía del signo Leo, que estará presente, te lleva a socializar y a conocer personas creativas, algo que va muy bien contigo.

amor

Si eres una persona casada, todas estas influencias te llevan a buscar iniciar familia en el extranjero o en un lugar donde sientas que hay más seguridad para tus hijos. Si eres una persona soltera, pero eres mujer que ama a una mujer, hombre que ama a un hombre, el periodo junio-septiembre te verá aceptando justo lo que quieres para unirte a alguien con libertad al final de septiembre o en octubre.

OTROS PERIODOS IMPORTANTES PARA EL AMOR

Eclipse en Libra: 23 de marzo

Este eclipse es uno de los más importantes para las personas Aries que inician el 2016 en pareja, pues dejará muy claro si hay potencial a futuro o no. Si la relación no es para darse, este eclipse limpia para que Júpiter en Libra, al final del año, traiga a una persona nueva.

Venus pasando por Cáncer: del 18 de junio al 12 de julio

Buen periodo para las personas Aries que a pesar de tener mucho trabajo están considerando mudarse con alguien o remodelar su hogar. También para las arianas casadas que están buscando un mejor lugar para vivir con sus hijos.

Venus en Leo: del 12 de julio al 15 de agosto

El mejor periodo para las chicas Aries jóvenes que están buscando conocer gente nueva y pasarla bien. Alguien extremadamente HOT puede llegar a través de un proyecto o trabajo de oficina.

Venus pasando por Libra: del 29 de agosto al 23 de septiembre

Periodo que coincide con la llegada de Júpiter a Libra, así que es el mejor periodo para conocer personas con quienes puedes llegar a una relación seria. También es un buen periodo para planificación de matrimonios. Para celebrarlos puedes tomar estas fechas, pero recomiendo un poco más adelante por la retrogradación de Mercurio.

Eclipse en Acuario: 18 de agosto

Este eclipse trae sorpresas. Una relación de amistad puede convertirse en algo más o puede propiciar un embarazo no planificado.

hogar

Este es un año para hacer de lo foráneo tu hogar, sea porque te mudas de ciudad, porque te casas con alguien que tiene diferentes tradiciones, porque vas a viajar mucho o porque por primera vez te mudas por tu cuenta. La energía de este año para lo que es estabilidad, raíz y familia, concierne en salir de lo conocido, hacer las cosas de manera muy diferente. Eso no quiere decir que no tendrás estabilidad, pero será otro tipo de estabilidad, y eso también viene porque la manera como te mantienes económicamente va a cambiar. Aunque hay periodos lindos para remodelar tu casa, mudarte, decorar tus espacios, etc., así como junio y julio, la verdad es que habrá tanto trabajo que esos asuntos no tendrán mucha relevancia para ti. Hacia el final del año, que la energía cambia y te ves en pareja, será cuando de verdad te enfoques en crear un espacio agradable para los dos. Otros indicadores que la vida de familia no podrá tener toda tu atención son:

- *La retrogradación de tu planeta Marte en el signo del extranjero que es Sagitario:* puede que irte al extranjero cueste, pero es un tema que tendrás entre ceja y ceja, por eso, es posible que tengas todo listo para partir y que no quieras invertir más en un lugar que sabes que vas a dejar.

- *Júpiter en Virgo:* muchas tareas, mucho trabajo y hasta viajes por trabajo. Al estar mucho tiempo fuera de la sensación de hogar, no tendrás muchos ánimos en invertir dinero en un lugar transitorio.

Lo que sí te invito a considerar es que cuando el Sol esté en Cáncer, reconectes con tu familia de origen y te recargues. Si te mudas de ciudad y te permite estar cerca de algún familiar, que ya se había ido antes, no dudes en nutrir esa relación que será muy importante para ti.

En noticias de crear hogar o iniciar familia

Aunque todos los tránsitos estén llevándote lejos, sí habrá arianas que sentirán el eclipse en Acuario del 18 de agosto con una sorpresa de la cigüeña. Esto puede suceder sin planearlo y es lo que las llevaría más adelante a un matrimonio, cuando Júpiter entre en Libra en septiembre.

prosperidad

El 2016 podría dividirse en dos partes. Una que va desde enero hasta septiembre y la otra de septiembre hasta el final de diciembre.

EXPLICO

El planeta de la abundancia es Júpiter, que estará hasta el 9 de septiembre en Virgo, tu zona de trabajo diario, de pasantía, de asistencia y cambios en rutinas. Mientras estás haciendo lo posible por ganarte la beca, conseguir la visa de trabajo o ajustándote a una nueva ciudad, Júpiter va a ayudar y no estará solo en este trabajo. Y mira: si leíste el inicio de este libro sabrás que Júpiter estará retrogradando de enero a mayo, pero en ese periodo Venus te va a ayudar.

Venus es el planeta del dinero, salario y aumento del valor personal. Como Venus rige el signo Tauro, rige tu zona de ganancias y tendrá todo el año libre de retrogradaciones y avanzando a paso muy rápido, podrás ir progresando en cuestiones de producir más o conseguir nuevos proyectos. Eso sí, como dependes mucho de Venus este año para tu prosperidad, recuerda ser siempre atenta con otros, porque Venus rige el encanto personal. Venus y su recorrido por los signos en el 2016 también nos da otras claves: ella visitará los signos Sagitario, Capricornio y Acuario dos veces en estos 365 días. Eso indica que las mejores oportunidades son en el extranjero (Sagitario), que tienes que trabajar tu reputación en ese nuevo lugar

(Capricornio) y que los mejores proyectos los harás con amigos o en trabajos en equipo (Acuario).

Las visitas de Venus a los signos Capricornio, Tauro, Virgo y Capricornio otra vez, son los mejores momentos de prosperidad para ti y ya te voy a dar las fechas.

Venus en Capricornio (1° round): del 23 de enero al 15 de febrero

Esto se trata de contactos, darte a conocer y trabajar en crear buenas impresiones con paciencia, porque Mercurio no estará colaborando contigo.

Venus en Tauro: del 29 de abril al 23 de mayo

Este es el mejor periodo para crear un buen equipo, empezar a notar cómo te sientes tomando el puesto de líder, organizando tus finanzas y resolviendo asuntos de mudanza. Atención: aunque Venus pasando por Tauro es de beneficio para ti, este tránsito coincide con la retrogradación de Mercurio, así que debes tener paciencia extra si los clientes no te pagan a tiempo. Lo mejor es tener esta información con anticipación y desde el inicio de abril ir llamando y ahorrando, invirtiendo sabiamente lo que tienes.

prosperidad

Venus en Virgo : del 05 al 28 de agosto

Aquí estarías aprovechando —lo último que le queda— a Júpiter en Virgo, así que tienes un periodo muy positivo para trabajar en la abundancia que viene de adentro, de tus elecciones. También puedes considerar cambiar de trabajo o iniciar un proyecto muy personal. Otra manifestación de este periodo es contratar personal, y que de esta manera aumentes la producción.

Venus en Capricornio (2° round): del 12 de noviembre al 7 de diciembre

Venus llega de nuevo a Capricornio, tu zona de éxito, aspiraciones y personas VIP. Ya sabes que Venus pasó por acá al inicio del año, ¿así que esta vez no estás entregando tarjetas de presentación, sino que eres parte de los VIP, cierto? Depende de ti.

¡ATENCIÓN!

La primera visita a Capricornio al inicio del año no será igual que la del final del año; si es que te tomaste la tarea de sacarle provecho a los primeros nueve meses para consolidarte en tu campo de trabajo, si tomas oportunidades para destacarte de maneras diferentes, por ejemplo: dar clases sobre el tema que trabajas, algo que puede parecerte no ser el trabajo en sí, pero que te va a beneficiar como no tienes idea. Lo mismo con escribir un libro o propagar información sobre lo que haces de una manera dedicada y con la intención de educar a los demás.

salud

Con Júpiter en Virgo los primeros nueve meses del 2016, tienes el mejor periodo en doce años para recuperarte de lesiones, hacer mejores elecciones de vida, mejorar tu cuerpo, tu condición física y tu físico a un punto de satisfacción para ti. Claro que esto requiere voluntad y te comento que Júpiter desatendido en esta zona puede llevarte a engordar, pero si le pones un poco de estructura los resultados serán muy satisfactorios. Comer más saludable, con horarios e incluir granos y vegetales es menester.

Tu planeta Marte también nos habla de tu salud con dos tránsitos importantes:

· *Su paso y retrogradación por Sagitario:* tu planeta no retrograda seguido, y cuando lo hace, a todos se nos decaen las ganas de ir a entrenar, más si retrograda en Sagitario, que es junto con Virgo, uno de los signos del *fitness*. Este tránsito que va del 17 de abril al 27 de junio es para marcar en tu agenda y motivarte a la fuerza para no decaer con metas y propósitos a todo nivel. Este tránsito también puede coincidir con la recuperación de una lesión física y de ser así, tómatelo con mucha calma.

· *Su paso por Piscis que será al final del año:* empieza el 19 de diciembre y dura hasta el 28 de enero del 2017. Este es un periodo para descansar, recuperarte y dejar los malos vicios que aún tengas.

tránsito a prestar atención

El tránsito al que más debes prestar atención es el de Marte en Sagitario, que va del 17 de febrero al 22 de agosto. Si bien es cierto que Marte estará en esa zona desde el 5 de marzo hasta el 27 de septiembre, son las primeras fechas que te di en las que debes tener en cuenta que todo lo que hagas se revisará tres veces, que tendrás que tener paciencia, menguar las ganas y esperar tu turno. Ese tránsito es para aprender a hacer las cosas como son, por pasos y no con tu aceleración usual. También para resolver asuntos legales, mudanzas al extranjero o la relación con una persona importante en tu vida. •

T

Tauro-

¿Quién iba a decir que después de tres años de duras lecciones en relaciones vendría un año que puede sanar todo y escribir una nueva historia?

Del 2012 al 2015 el planeta Saturno te dio las lecciones más fuertes en cuanto a compromiso, relaciones y asociaciones. Ahora que este planeta se ha mudado al signo Sagitario te ayudará a que ganes profundidad en la manera como te relacionas, a ver más allá de lo literal y, de hecho, a darle la bienvenida al reto junto a otra persona, pero no porque quieres tener esa relación a la fuerza. Estos retos que querrás asumir los toman juntos para crear una nueva vida.

Por otro lado tenemos a Júpiter en la zona de romances, creación y procreación, así que si estás sin pareja para experimentar lo que comento arriba, no te preocupes, que abundan oportunidades para conocer personas.

overview

Aparte de eso, tendremos la retrogradación de Marte gran parte del año, fase que para la mayoría de los signos será un bajón de energía, pero para ti se trata de calentar a fuego lento esa relación que puede ser para toda la vida.

Por esto y otros tránsitos más, el 2016 es tu año del amor verdadero. No te enganches en un cuento de hadas, sino en una relación que te lleva a la expansión personal, al extranjero o a lo desconocido, en cuanto a que no hay referencia en tu pasado para este tipo de amor que esperas. Todo esto te lo has ganado después de tantas lecciones tomadas y crecimiento interno a la fuerza.

Último pero no menos importante: no te aceleres, no obligues a que las cosas se den rápido. Una de las retrogradaciones de Mercurio se dará en tu signo y por eso, si ya has esperado tanto para vivir esto, créelo que puedes y debes tomarte estos cambios y pasos de una relación con calma, para que todo salga bien y puedas ir digiriendo la intensidad y seriedad del asunto.

Antes de entrar en los tránsitos importantes de este año debo darte una vuelta por lo que aprendiste en años anteriores.

Como dije al inicio, del 2012 al 2015 el planeta del compromiso y trabajo duro, que es Saturno, pasó por el signo Escorpio, tu opuesto, dándote las lecciones más fuertes en cuestión de relaciones para que aprendieras a escoger con madurez. Esto no le cayó mal a todo el mundo, porque muchas personas Tauro se casaron con este tránsito y de ser así, fue una relación que entró a sus vidas porque cambiaron emocionalmente, se relacionaron como adultos y pensando a largo plazo. Pero también tenemos otras personas Tauro, sobre todo los que tienen menos de treinta años, que no pudieron concretar una relación formal pero igual aprendieron mucho en ese periodo, incluso teniendo que trabajar en triángulos amorosos debido a una tercera persona o porque uno de los integrantes de la relación estaba más comprometido con su trabajo.

Saturno dejó Escorpio en septiembre del 2015 y entró en Sagitario por primera vez en veintinueve años. Su tránsito en ese signo, que dura hasta el final del 2017, se trata de tomar las lecciones que aprendiste en relaciones y profundizar con quien ya estás, iniciar una relación intensa si estás solo y darle estructura a tus deseos y pasiones. Hay mucho más que contar de Saturno en Sagitario, pero sigo haciéndote un recuento de años pasados.

Otro tránsito que te hizo reflexionar y cambiar fue la retrogradación de tu planeta Venus en agosto del 2015. Tu planeta no retrograda seguido y cuando lo hace, no siempre es en el mismo signo. En el 2015, Venus retrogradó en Leo y en esos 40 días te diste cuenta de que quieres estabilidad, vivir mejor, terminar con juegos, iniciar familia y puede que hasta hayas reconectado con un alma gemela gracias al Venus *Star Point*, un evento muy importante en el mandala que Venus traza alrededor del Sol. Esa reconexión pudo ser con alguien que ya conoces de esta vida, pero también pudo ser de alguien que conoces de vidas pasadas y de la nada sentiste especial afinidad. A partir de lo que entendiste, y el deseo que revelaste con el periodo de retrogradación de Venus, es con lo que ahora vas a trabajar, porque ya no querrás repetir patrones de amor del pasado y menos conformarte con lo que ya te diste cuenta de que no era para ti.

Otro evento que viene del año pasado y cambia tu panorama amoroso en este, es que Júpiter, planeta de crecimiento y abundancia, entró en Virgo dándote el mejor año en un ciclo de doce para conocer a alguien especial. Como Júpiter entró en Virgo al mismo tiempo que Venus retrogradó, debes recordar qué estaba pasando al final de agosto del 2015 y entender que esto determina mucho de tu actitud en relaciones y en lo que vas a trabajar en el 2016.

Ahora sí... el 2016

Ya Júpiter está en Virgo y aunque al empezar el año este planeta empieza a retrogradar en la zona del amor, romances y relaciones que se inician, el planeta Marte está en Escorpio ayudándote a atraer personas interesantes para ti. Lo más probable es que al inicio del año ya estés hablando con alguien, que está presente en tu vida y tengan planes, pero que no estén físicamente en el mismo lugar o que haya una prueba que superar. La cosa contigo este año es que entre más retos tenga la relación, más rápido profundiza, más ganas tienen de estar juntos. Por "retos" no me refiero a superar infidelidades o desplantes que se hagan el uno al otro; me refiero a retos para estar juntos, casarse, poder hacer planes a largo plazo. Como al inicio del año también hay mucha actividad en tu zona profesional, será por razones de trabajo que ustedes luchen por estar juntos. Lo que sí no recomiendo es que, por querer acelerar las cosas o resolver rápido, se casen, porque el tránsito más importante del año y de relevancia para ti es la retrogradación de Marte en Sagitario –del que te hablaré más adelante–, por lo que es mejor esperar a que este planeta ya esté directo en septiembre para concretar ese ideal.

Si estás soltero al inicio del año, que Júpiter está retrógrado y Marte en Escorpio, puede significar resolver cosas con un amante del pasado, y darte cuenta si es algo en lo que deseas invertir energías o no. También es posible que conozcas a alguien que está ocupado y que para poder estar juntos, requieras de energía y sobriedad emocional.

amor

Si ya estás en pareja y son un buen *team*, el año se inicia con muchos planes juntos, el reto estará en conseguir el dinero o de poner a sus hijos primero antes de tomar una decisión que cambia dónde y cómo viven.

Sobre Marte en Sagitario
Lo que haga Marte es muy importante, no solo porque rige la energía masculina que propone, sino porque este planeta rige tu zona del amor serio.

Como ya has leído en la introducción del libro y la de tu año, Marte va a retrogradar, cosa que hace una vez cada dos años. Para más, Marte va a retrogradar entre tu zona de compromisos y la zona de entrega, tomándose desde el 17 de febrero hasta el 22 de agosto, para poner a fuego lento el avance de una relación.

Y te comento...
Aunque Marte retrógrado puede bajarnos el impulso y las ganas, a ti te va ayudar a tomarte con calma una relación que puede ser la más importante de tu vida. Marte no estará danzando por esa zona a solas, sino que lo hará con el planeta Saturno que es el de los compromisos. En vez de estar luchando por la relación en sí, ambas partes estarán abiertas y con ganas de comprometerse, pero habrá situaciones de dinero, trabajo, vivir en el mismo lugar o asuntos legales que resolver. Por eso, la mitad de este año será una prueba de paciencia también cuando sientas de manera diferente tus pasiones, porque no te desesperas, sino más bien, sabes que estás creando algo tan

importante que lo quieres hacer como debe ser. Si estás casado, estos tránsitos son de prueba entre parejas para lograr un préstamo, crédito o adquirir algo importante. También pueden significar un embarazo y si estás en una relación que no es para ser, esta retrogradación de Marte dejará todo al descubierto para que, en los últimos tres meses del año, puedan dejarse y moverse hacia adelante.

Los momentos más importantes de este periodo son:

• El 24 de agosto que Marte y Saturno se unen en Sagitario. Momento de decisión sobre compromiso, contrato, asunto legal.

• Del 14 al 20 de septiembre que Marte, ya directo, está trabajando en hacer avanzar la relación, esta vez con seguridad o haciéndote buscar respuestas para tomar una decisión y actuar por ello.

Aparte del amor, también tienes mucha actividad en la zona de amistades y eso es relevante porque, para muchos, el amor viene por allí:

El eclipse de Sol en Piscis: el 8 de marzo

Puede hacer que una amistad se convierta en algo más, pero también puede representar el hecho de que un amor virtual, lejano o platónico se hace realidad. Esta temporada también coincide con un cambio de grupo y amistades, para muchos dado por un cambio de ciudad.

amor

El eclipse de luna llena en Piscis: el 16 de septiembre

Este eclipse sí es para darle fin a una relación; que aún con tus mejores intenciones y trabajo invertido no pasó a ser algo más que una intensa amistad, y también trae finales de amistad con personas con quienes no compartes los mismos intereses.

Si eres de las mujeres Tauro que salen embarazadas con Marte retrógrado en Sagitario, este último eclipse en Piscis representa el cambio de vida, ambiente, metas y de personas que te rodeas, ya más enfocada en tu nueva realidad.

hogar

El 2015 fue un año importante en cuestiones de hogar. Júpiter y Venus tuvieron mucha acción en el signo Leo, que rige ese tema en tu vida, y aunque quizá no pudiste comprar la casa de tus sueños, sí fue un año en el que tomaste decisiones sobre cómo, dónde y con quién vivir, ¿cierto? También fue el año en el que te pusiste las pilas con el plan de obtener visa, permiso de trabajo, o empezaste a aplicar para entrar a la universidad. Todo por cumplir la meta de moverte de un lugar real o emocional. Este año lo que vivirás en estos temas es la consecuencia de esas decisiones. Mucho sobre dónde y cómo vivir está atado a una decisión en temas de pareja, porque ese es el centro de tu año y para el final de julio e inicio de agosto ya estarás hablando de esto con el otro. Para las personas Tauro con más de treinta y cuatro años, el 2016 trae la oportunidad de obtener una casa más grande, vivir en otro país o tener un segundo bebé, lo que hace necesario tener más espacio. Esto empieza a plantearse en julio y agosto para lograr la manifestación en octubre.

prosperidad

El tema de amor y parejas es muy importante, sí, pero el de trabajo y prosperidad es también bastante relevante, afecta la situación de pareja y te da momentos para aprovechar, y que de esa manera en el 2017 tengas tu propio negocio o seas económicamente independiente.

Para explicártelo debo llevarte al pasado, a ese momento en que Saturno entró en Sagitario, que fue en septiembre del 2015. Ese tránsito que te mencioné arriba que afecta tus pasiones, intimidad, confianza, entrega y embarazos; también afecta préstamos, créditos, ganar por comisiones y ganar gracias a lo que tiene alguien más.

Desde el año pasado que Saturno empezó a afectar esa zona, lo mejor que has podido hacer es ser consciente de que en el 2016 venía un gran cambio, una mudanza o que tenías miras a crear estabilidad e ir abriéndote campo en tu área profesional, de la mano con una persona de influencia o VIP que puede ayudar. Si no lo hiciste, será el inicio del 2016 cuando con tu planeta Venus pasando por Acuario, del 16 de febrero al 12 de marzo, te destaques de una manera tal, que ese jefe, persona VIP o atracción de clientes o audiencia sea innegable. Aunque ese tránsito es muy favorable, y te hace ganar puntos que querrás usar en julio y agosto, debes saber que el periodo de mayor crecimiento a nivel profesional viene en los últimos tres meses del año, cuando el planeta de la abundancia que es Júpiter esté en el signo Libra y tu planeta Venus vuelva al signo Acuario, del 7 de diciembre de 2016 al 3 de enero de 2017. En ese periodo Marte también estará en Acuario, así que, sí, el 2017 empiezas con el pie correcto en cuestiones de asociación comercial, negocio propio y mejor reputación, pero todo se basa en lo que seas capaz de lograr al inicio del año con la primera visita de Venus en Acuario.

Otro consejo que te voy a dar con los tránsitos de planetas por el signo Acuario en tu zona profesional, es que inviertas tiempo, atención y esfuerzos en tus redes sociales, en *webinars*, en aprender en línea o dar clases en línea. Aunque tengas un trabajo formal, trabajar con esto te dará un ingreso extra que necesitarás a mitad del año y también te permite trabajar desde donde sea, en caso de que te mudes para estar con tu pareja y no conozcas a nadie en esa nueva ciudad. Trabajar desde casa atendiendo en línea puede ser una de las mejores decisiones del año, esto ya tiene tres años marinándose en ti. También es bueno que te motives para asistir a conferencias, fiestas de *networking* y en hacer amistades que están creciendo en tu mismo ramo, porque sin duda este año debes ser muy inteligente y rodearte de personas que ya están donde tú quieres estar.

Hablemos de dinero...
Tu zona de salario la rige el planeta Mercurio que este año retrograda no tres, sino cuatro veces. De todas las retrogradaciones debes prestar atención a la que se da en tu signo del 28 de abril al 22 de mayo, porque es cuando más te va a costar destacarte, terminar proyectos a tiempo y cobrar.

Aparte de eso, las retrogradaciones de Marte y Saturno en Sagitario a mitad de año también indican que este es un año de ahorro para poder lograr metas junto a alguien más, o para hacer una movida audaz en tu vida. Esto no se trata de ahorrar para comprarte un ítem de moda, sino ahorrar en serio para comprar una casa, tener hijos o pagarte la universidad. Este es un año de madurez emocional y eso afectará también las elecciones que harás para gastar y el nivel de responsabilidades que vienen. Te recomiendo ahorrar y gastar con conciencia todo el año. El mismo hecho de que Marte y Saturno retrograden en Sagitario, indica que si puedes crear una fuente de ingresos en moneda extranjera, te asesores y lo hagas. Desde que arranque el 2016, harás bien en hablar con tu jefe o asesor para ver si puedes trabajar en lo mismo, pero en otra locación o franquicia y cómo puedes aportar más y ganar más.

Un momento importante en el que debes aprovechar para tomar un proyecto grande o destacarte será al final de junio, cuando Júpiter y Plutón estén en trígono en signos de tierra como el tuyo y tengas chance de ganarte una beca, trabajar con un equipo a distancia o exponer algo en lo que has estado trabajando desde el 2015.

Último pero no menos importante, el 18 de agosto tendremos el primer eclipse en Acuario en diecinueve años, y esa es tu zona profesional. Este eclipse coincidirá con un momento de graduación, de promoción o de cambio de carrera, si desde el inicio del año ya tienes interés en trabajar en algo completamente diferente. Muchas mujeres Tauro tomarán esta energía del eclipse para tomar un *break* y atender asuntos de familia o embarazos. Sus prioridades cambiarán completamente.

A lo largo del año tu salud se ve estable. Estarás con tantas actividades que tendrás que buscar tiempo para hacer ejercicios y, en verdad, lo más importante para ti será adecuarte a un nuevo horario, trabajo o ciudad. Como ya has leído en párrafos anteriores, la mitad del año verá a muchas mujeres Tauro embarazadas y por la retrogradación de Marte el embarazo puede pedir reposo. Por eso, julio y agosto son meses para tomarte con calma, aunque la llama de la pasión estará muy viva y eso siempre nos hace sentir mejor.

A partir de octubre, cuando Júpiter entre en Libra, se inicia un mejor año en un ciclo de doce meses para mejorar tu calidad de vida, salud, embellecerte y disfrutar de los cambios en tu cuerpo. Si piensas tener una cirugía plástica, lo mejor es esperar a ese momento del año.

tránsito a prestar atención

El tránsito más importante del año para ti sin duda es la retrogradación de Marte que coincide con la de Saturno en Sagitario. En la parte del amor ya te he mencionado cómo puede manifestarse. Debes tener paciencia y entender que se trata de lecciones de madurez emocional que no tienen que ver con la forma, o como se ve la relación, sino con que juntos puedan mejorar su calidad de vida. También quiero que sepas que estas retrogradaciones afectan la relación con un socio, con la persona que estés pensando asociarte o que, más bien, después de años de asociación con el impulso profesional en creciente, te des cuenta de que es momento de independizarte y te tome todo el año lograrlo y hacerlo bien. Por eso, desde el inicio del año es importante que tengas claras las metas materiales que van a sustentar las emocionales y a la inversa. Aunque el 2016 te hará poner el amor como prioridad, toda persona Tauro necesita sentirse segura antes de dar un gran paso; y en repetidas ocasiones mencioné que debes tener un trabajo o una fuente extra de ingresos antes de irte a otra ciudad o casarte. Las metas de este año no son pequeñas y no son de satisfacción inmediata. ¿No te diste cuenta cómo desde el 2012 hasta acá pusiste las bases de tu futuro? Solo faltaba algo que terminara de empujarte y este año se dará a nivel real, aunque vayas un paso adelante y dos atrás, con Mercurio retro en tu signo y Marte muy ocupado, los últimos tres meses verás cómo todo habrá valido la pena. •

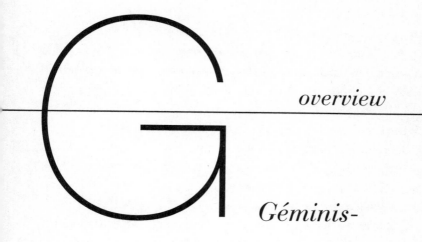

overview

Géminis-

Desde el año pasado ya se veía venir. Júpiter, planeta de la expansión está en Virgo los primeros nueve meses del año haciendo que tus ganas de asentarte, iniciar familia, tener casa propia y tener estabilidad sean una prioridad. A su vez, Júpiter rige el signo Sagitario, que es tu signo opuesto y por tanto la zona de parejas. En esa misma zona entró Saturno, el planeta del compromiso. Queda claro con estas dos posiciones, que el 2016 es un año de compromisos serios para ti junto a otra persona. Que sea un matrimonio o una asociación comercial, depende de ti y a lo que estés dando más atención con tus deseos. Lo que sí es cierto es que este no es un año para la soledad, ni para emprender nuevos rumbos pensando solo en ti, en que lo debes hacer a solas, o que no tendrás apoyo. Recuerda: la mentalidad de pensar en "nos" debe estar presente en ti y a consciencia, porque es la tarea del año.

overview

De manera general, las personas Géminis prefieren ser espíritus libres y *freelancers* emocionales, sin comprometerse, pero tenían que suceder al mismo tiempo estos dos tránsitos –Júpiter en Virgo y Saturno en Sagitario– para que entendieran que con el compromiso vienen las bendiciones. Lo que se llama "el peso de la entrega" te pone al ras del suelo, con los pies en la tierra y manifestando lo que hace mucho deseabas pero no sabías cómo empezar o hasta temías aceptar. Alguien te da la mano y aunque al inicio te resistas porque la entrega es difícil para ti, la retrogradación de Marte a mitad de año dejará claro que esa persona no se moverá con facilidad, querrá acompañarte contra viento y marea, primero resolviendo tus miedos y falta de confianza y después a luchar juntos por una vida diferente.

Si ya estás en una relación y sientes que no es para ti, puede ser un año lento y difícil, porque la energía disponible apuesta por un espacio abierto para que llegue la persona con la que estás destinada a hacer trabajo espiritual y evolucionar.

El amor es un tema importante pero no es lo que más se marca en tu año, sino más bien, el compromiso. ¿A qué me refiero? Quiero explicarte con un ejemplo: vas por la calle buscando taxi y todos dicen: "no disponible". Ese eres tú antes. Tuvieras o no pareja, no había disposición a abrirte y entregarte. A unos les pasó por no querer crecer nunca, a otros por miedo y al resto por mantener su espacio con una relación informal. Este año, con las posiciones planetarias que tendremos, tu reloj biológico está sonando y en verdad no importa la edad que tengas, sentirás ganas que nacen dentro de ti de querer estar en paz, tener un hogar, compartir con alguien con quien puedas hacer planes a largo plazo o con quien cae muy bien una asociación formal para producir más. No hay Géminis tonto y gran parte de las ganas de compromiso vienen por conveniencia, pero no en mala onda, sino que entiendes que se necesita del otro para lograr ciertas metas, y esta vez, no sientes que la presencia de otra persona cortará tu libertad.

Todo esto no empieza en el 2016, de hecho viene de antes.

EXPLICO

En agosto del 2015 Júpiter entró en Virgo por primera vez en doce años. Esta posición que dura hasta septiembre del 2016; es la mejor energía disponible para mudarte con alguien, mudarte a solas, comprar casa, vender una vieja propiedad, iniciar familia, echar raíces. Tomando en cuenta de que Júpiter rige el signo Sagitario, que es tu signo opuesto, esa mudanza o movida viene con el complemento perfecto. A la misma vez, como Júpiter rige el extranjero, no sería raro que la otra persona tenga una nacionalidad o cultura diferente o que estén de acuerdo para iniciar familia o se quieran mudar de ciudad. Los mejores momentos para mudarte a otro lugar con o por la pareja, o de conocer a alguien en el extranjero, serán a partir del 9 de mayo, cuando Júpiter ya esté directo y listo para trabajar en lo que te he comentado.

Si al iniciar el año estás contemplando mudarte o ya estás hablando con alguien que vive en otro país, mientras Júpiter está retrógrado del 7 de enero al 9 de mayo, tienes el mejor momento para evaluar todo lo que necesitas para hacer la movida o mudanza, conocer mejor al otro, reunirte con abogados para resolver asuntos legales, etc. Una vez que Júpiter esté directo pueden echar a andar el plan o proyecto hacia delante. Pero no te recomendaría matrimonio sino hasta después del 13 de agosto porque...

Saturno en Sagitario también cuenta.

Es que es así, este año la decisión de dónde y cómo vas a vivir depende del compromiso con otro.

Ya te hablé sobre Júpiter en Virgo que es sinónimo de estabilidad. A lo largo del 2016 Júpiter trabaja en relación a otro planeta que es el del compromiso: Saturno, planeta que por primera vez en veintinueve años está en la zona de matrimonios.

Wow... tenemos un ciclo que pasa una vez cada doce años y otro que sucede una vez cada veintinueve años trabajando a la par, para que al mismo tiempo que sientes ganas de asentarte, consigas la pareja que mereces.

Bien... como te iba diciendo, Júpiter y sus andanzas nos dicen cuándo está bien mudarte o dar ese paso de vivir juntos, pero Saturno y sus tránsitos nos dicen cuándo es el mejor momento para casarte.

Si sabemos que Júpiter retrograda del 7 de enero al 9 de mayo, este periodo es de contemplación y de revisar que tengas todo en orden para mudarte y que de hecho, sea a un lugar o con una persona que te gusta.

Si sabemos que Saturno va a retrogradar del 25 de marzo al 13 de agosto, sabemos que por mucho que ya te hayas mudado en ese periodo y que tengas de la mano a la persona ideal, no es el periodo más propicio para casarte, sino para ver cómo funcionan juntos.

Y entonces... ¿cuándo te casas?, ¿cuándo puedes dar el paso al compromiso con seguridad?

Ahí vamos. Primero la casa, después vivir en pareja y después del 13 de agosto, en efecto, te puedes casar.

Todo esto se lee muy lindo... pero en el amor siempre hay varios escenarios.

Es así.

Si al iniciar el año estás con una pareja que no es para ti, la tensión entre Júpiter, Saturno y Neptuno, fuerte en marzo y junio, pueden verte terminando esa relación para que una verdaderamente buena tenga lugar. No sería raro que una de las razones para terminar esa relación, que no te conviene, sea que uno de los dos tenga que mudarse a otro lugar o que no vean las cosas de manera similar en cuestiones de familia.

Si estás felizmente en pareja, este año se trata de enseriarse con los planes que tienen de mudarse, de planificar tener hijos, de empezar desde cero en otro lugar, lo que les haría sentir que están empezando de nuevo en su relación de pareja.

Si perdiste a alguien que crees que es para ti, si en medio de confusiones por mudanzas, mejores oportunidades laborales y otros escenarios a los que nos llevan nuestras emociones, te ves en conflicto con dudas, sin saber qué decidir... el universo te tiene otra barajita.

Las andanzas del planeta Marte

Como si no tuvieras ya mucha acción en temas de compromiso, asentamiento y familia, también tendremos este año un tránsito que no sucedía desde el 2001 y cae justo en la zona de compromisos. Del 17 de abril al 29 de junio, Marte retrograda en Sagitario y ese tránsito de verdad demostrará cuál es la voluntad de ambas personas en la relación, si tiene reparación o si están bien, cuando más ganas tienen que ponerle al plan de estar juntos.

Lo que sí debes saber es que Marte es el planeta de la acción pero también de la guerra. Debo decirte de nuevo: que si tu relación no es para ser, pero te aferras, este periodo puede ser muy difícil.

Para concluir...

Al ver lo agitadas que están tus zonas de estabilidad y compromiso parece que no tendrás ni un momento de descanso. La verdad es que el 2016 es un periodo de doce meses en los que trabajarás sí o sí en relaciones serias y buscarás consciente o inconscientemente, estabilidad. De manera consciente escogerás lo mejor para ti y tu pareja. Si estás soltero aprenderás a escoger mucho mejor. Si no pones atención a estos tránsitos y vas de manera inconsciente, los ciclos retrógrados de Júpiter, Saturno y Marte, quitarán de tu camino lo que impide que te asientes, pero en ese caso no lo harías por elección o voluntad, sino que el cambio y rectificación de las elecciones en tu vida te serán impuestos. Motívate y observa tus relaciones. Sé realista y aprecia a quien está ya en tu vida. Después del 19 de noviembre estarás en un periodo de paz, estabilidad y tranquilidad, pero hay que pasar por los cambios estructurales y emocionales.

¡Momento muy importante!

El 24 de agosto se unen Marte (acción) y Saturno (compromiso) en Sagitario. Cerca de esta fecha, cuenta una semana antes y después, se tomará una decisión muy importante en relaciones serias para ti.

Meses más importantes en cuestiones de pareja...

Marzo, junio y septiembre.

hogar

El tema del hogar, la familia y la estabilidad lo hemos cubierto al hablar de Júpiter en Virgo, pero quiero dejarte buenas fechas para comprar, vender, alquilar o remodelar tu hogar:

- El 22 y 23 de mayo tienes muy buen chance de avanzar en estos temas, la cosa es convencer a tu pareja.

- El 26 de junio tienes el mejor día en todo el año para cambios relacionados con familia, mudanza y estabilidad. Recibirás apoyo de una persona importante que ya conoces.

Evita...
Elegir casa, dar el pago inicial o remodelar cuando Mercurio está retrógrado en Virgo del 30 de agosto al 22 de septiembre.

Otro tema importante que aprovecho tocar en la sección de hogar son los niños. Si estás interesado en tener bebés, el paso de Júpiter al signo Libra en septiembre inicia el mejor año, en un ciclo de doce, para procrear. Las últimas dos semanas del mes de septiembre son lindas para esto, aprovechando que Venus pasa de Libra a Escorpio y eso te pone muy atractivo y fértil.

prosperidad

Los temas de trabajo, dinero y surgimiento también son importantes este año porque tendrás dos eclipses en la zona profesional, y si eres mujer, esto afecta tu estatus civil.

Antes de profundizar en el tema te pregunto: ¿estás feliz en tu trabajo? Porque si no lo estás, puedes cambiar de curso en el 2016. El eclipse de Sol en Piscis el 8 de marzo presenta una oportunidad muy favorecedora para los que estén buscando trabajo en el campo creativo. La oposición de Júpiter en Virgo indica que esta es una de las razones para cambiar de ciudad, y a través de la cual conoces gente especial.

El eclipse de luna llena en Piscis el 16 de septiembre te da la oportunidad de ser reconocido por el trabajo que has estado haciendo en los últimos dos años y sería el mejor momento para pedir una promoción o un traslado.

Si todavía no sabes exactamente lo que quieres hacer, las tensiones en marzo y junio, aparte de lo agitada que estará tu vida personal, te harán tomar una decisión y probar si te gusta un nuevo trabajo. En caso de que desees constituir una sociedad comercial, lo más recomendable será esperar a que pase el 13 de agosto.

prosperidad

En cuestiones de dinero, evita tomar decisiones drásticas y sin pensar cerca de los eclipses. La luna nueva en Cáncer del 4 de julio, usualmente, es la mejor para pedir aumentos, pero por otras alineaciones en esa fecha, tendrías que esforzarte demasiado para lograrlo. Si por alguna razón dependes de mamá o mujer para mantenerte, esa luna nueva sería tu momento de la independencia. No está de más decirte que ahorres antes del evento.

Tu salud se verá afectada este año por la retrogradación de Marte. Asuntos de pareja y exceso de trabajo, o mezclar estudios y trabajos puede drenarte demasiado. Si eres una persona que tiene vicios, desde febrero y hasta septiembre te verás obligado a dejarlos varias veces, así que aunque quieras hacerte la vista gorda y recaer, será difícil.

Otro tema relacionado con la salud, son los seguros. Te recomiendo que al inicio del año busques un seguro médico, sobre todo si te mudas. Si puedes buscar un trabajo que provea estos beneficios, considéralo, porque Marte entrando y saliendo de Escorpio te puede hacer necesitarlo más de una vez. Aparte de los vicios y que vas a tener que cuidarte de salud con prevención, también está el tema de los embarazos por la entrada de Júpiter a Libra a partir del 9 de septiembre. En muchos países se planifican los embarazos con cuidados prenatales y en verdad quien lo desee se puede informar. Cuida tu salud y tu paz, si este es uno de tus deseos al finalizar el año.

tránsito a prestar atención

El tránsito más importante es la cuadratura en T, que son tres tránsitos al mismo tiempo. Esta cuadratura se trata de Júpiter en Virgo (en tu zona de estabilidad), Saturno en Sagitario (en la zona de compromisos) y Neptuno en Piscis (en la zona de trabajo). Estos tres planetas estarán en tensión los primeros nueve meses del año y a lo largo de tu horóscopo te he dado varias manifestaciones posibles. Estas tres áreas de nuestra vida son muy importantes y a ti se te están moviendo como no había pasado en treinta años. Resistir solo causa tensión, debes aprender a comprometerte contigo para manifestar lo que deseas, dejar de conformarte con un trabajo que no te gusta y, si eres hombre, atreverte a recorrer la distancia por alguien que claramente vale la pena. ·

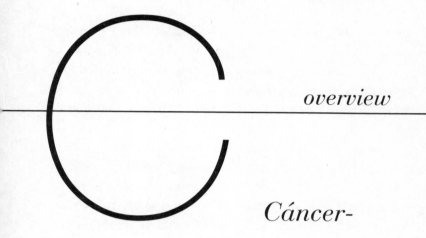

overview

Cáncer-

El 2016 es un año de mucho trabajo Cáncer, y eso significa que podrás avanzar en otras áreas de tu vida gracias a las oportunidades que te has ganado con esfuerzos de años.

Eso sí, no es el año de la cumbre profesional que imaginabas, pero sí es el año en que avanzas más de la mitad del camino, resolviendo asuntos personales con el paso de los meses y eso te dará gran satisfacción, sobre todo en temas del amor, ya que los últimos tres años conseguir pareja o lograr metas juntos ha presentado tantos retos.

Por eso, aunque el 2016 está cargado de trabajo para ti; en cuestiones emocionales, de estabilidad y familia, estarás creciendo. Esto te dará certeza interna, la que faltaba para hacer un gran salto que lleva tu vida y la de tu familia a otro lugar, despertando instintos y potenciales dormidos, superando las expectativas que tenías de ti mismo.

amor

A diferencia de años anteriores, el planeta encargado de tus relaciones serias que es Plutón tendrá apoyo, por eso, en tus relaciones personales o comerciales más cercanas y relevantes, habrá un vuelco positivo y de colaboración. Ya el inicio del año muestra como un plan que tienen juntos los acerca notablemente.

Aparte de eso, la presencia de Júpiter en Virgo los primeros nueve meses del año, favorece los contratos, los matrimonios civiles, los acuerdos y asociaciones. Claro está que con Júpiter en Virgo y Plutón en Capricornio, lo que termina de llevar parejas ante el juez o el altar también tiene que ver con cumplir una meta de vida y crecimiento, por ejemplo: casarse para mudarse, casarse para aplicar juntos a un permiso de trabajo, casarse para darle beneficios a sus hijos, y así. Sin embargo, no está mal saber que las personas Cáncer estarán tomando las decisiones del corazón más importantes con total discernimiento y muy conscientes de las responsabilidades que están por tomar, con buena voluntad.

Las mejores fechas para matrimonios civiles son:

- El 13 de enero. Aunque Júpiter está recién retrógrado, se supone que para casarte conoces a la otra persona hace tiempo. Esta fecha también es buena para reconciliaciones que más adelante terminarán en un matrimonio.

- El 10 de febrero, cuando Venus en Capricornio está en trígono con Júpiter retrógrado en Virgo. En este caso, asuntos de dinero en conjunto o bienes compartidos han de discutirse muy claramente entre las partes.

- El 26 de junio, ya con Júpiter directo, es la mejor fecha de todas en cuestiones de matrimonio y asociaciones.

Si empiezas el 2016 en una relación, te irás dando cuenta del cambio de ambos. Las discusiones ya no serán de uno contra otro, sino más bien, de cómo organizar tu tren de vida porque tu vida laboral estará en ascenso y con muchas tareas. Para más, este año tendrás muchos viajes, así que el afán como pareja estará en decidir cómo y dónde vivir.

Si hay un chance para terminar una relación, sería por cuestiones de agenda, trabajo o que uno de los dos sea trasladado a otra ciudad.

Si estás felizmente casado, este año presenta múltiples oportunidades para que puedan mudarse a otro lugar, pero ese tema lo tocaré en profundidad en la sección del hogar.

Si empiezas el 2016 soltero y sin compromisos, tenderás a atraer personas que, a diferencia de las anteriores, no tratarán de controlarte, sino, más bien, son tus socios de alguna forma, que te apoyan y quieren ayudarte a explotar las oportunidades que con tanto trabajo te has ganado.

amor

Hay dos periodos del año que son óptimos en cuestiones de atraer a alguien que valga la pena.

La estadía de Marte en Escorpio: del 3 de enero al 5 de marzo

El detalle está en que Marte va a retrogradar por ese signo, así que si inicias una relación en este periodo, hay que saber mucho más del otro y trabajar en el verano. Puede ser una gran lección en el amor, pero habrá algo que no termina de cuadrarte y requiere mucho trabajo interno, de ambos, para hacer que funcione.

Marte en Capricornio: del 27 de septiembre al 9 de noviembre

Este periodo también coincide con Júpiter ya en Libra, lo que te favorece enormemente para conocer personas con quienes te enserias con rapidez, no solo en el amor, sino en planes a futuro.

Otro beneficio que dan las alineaciones de este año es que estés en pareja o inicies una relación, la persona que escojas es alguien con quien puedes trabajar, y que los amigos/colegas, de quienes se van a rodear, crean un ambiente cómodo de confianza y los proyectos van a avanzar.

Como te mencioné en temas de amor, las mudanzas este año son un *highlight*, algo para planificar en pareja. Aun si no tienes pareja, será la mudanza o los viajes por trabajo la manera de conocer a alguien muy especial.

Los temas de mudanza, remodelaciones de casa o búsqueda de un espacio más grande está dado por los dos eclipses en Piscis.

- *El primer eclipse es de Sol, para el 8 de marzo.* Este eclipse es capaz de moverte a otro país u obtener la residencia en el que te acabas de mudar. La oposición a Júpiter retrógrado en Virgo implica muchos papeleos y detalles que atender, así que ir adelantándote al evento y revisar todo minuciosamente no está mal. Este eclipse también te ayuda a terminar el semestre que te faltaba para graduarte y después de eso te puedas mudar.

- *El segundo será el 16 de septiembre y es de luna llena.* Si el de marzo no te movió, este con seguridad lo hará, si es que tu intención es crecer en otra ciudad o en una compañía que permita viajar o relacionarte con personas en el extranjero, editoriales e incluso dar clases. Las personas Cáncer más jóvenes pueden obtener una beca en el periodo de marzo a septiembre.

hogar

Otro de los grandes indicadores de mudanza y expansión de la familia (embarazos e hijos) es la entrada del planeta Júpiter al signo Libra a partir del 9 de septiembre. Este tránsito dura un año, pero su inicio coincide con el último eclipse en Piscis del año, lo que refuerza toda esta idea de mudanzas al extranjero.

Aparte de eso, en septiembre no estamos muy lejos del eclipse que se habrá dado en Acuario el 18 de agosto, que para muchas mujeres Cáncer representa un embarazo. Si no estás buscándolo, obtienes con ese evento el préstamo que necesitabas para comprar una casa o vivir mejor, pero solo podrás disfrutarlo a partir de septiembre, antes de eso hay muchos ajustes, revisiones, papeleos y terminar proyectos que requieren de tu atención.

Otros buenos periodos para solicitar ayuda al banco, pedir préstamos, créditos o hipotecas se dan cuando Venus visite el signo Acuario. Este planeta visita dos veces ese signo este año, pero el que verdaderamente te dará los resultados deseados, será el periodo del 7 de diciembre al 3 de enero 2017.

prosperidad

En la sección de salud, ya te comentaba cómo la presencia de Saturno en Sagitario todo el año trae muchísimo trabajo. El detalle es que el incremento de tareas no necesariamente significa aumento de salario, o que todo lo que haces se sienta en balance con el monto que ganas. El 2016 es un año de pasantías, de preparación y especialización para que en el 2017 puedas trabajar como independiente –si es lo que deseas– o tengas personas trabajando para ti. Lo bueno es que Saturno en Sagitario te hará ser un *master* en organización, algo que agradecerás el resto de tu vida para lograr lo que te propongas.

Tal como te mencioné antes, es muy importante que cuides de tu agenda, que dejes tiempo para la recreación y el descanso, que aprendas a poner límites cuando veas que te están poniendo encima cada vez más cosas. Aparte de eso, este es un excelente año para dejar tiempo y espacio para practicar algo que de verdad te gusta, por ejemplo: tienes tu trabajo pero amas pintar, es algo que debes cultivar porque en años por venir te será útil y fuente de ingreso, pero todo en su momento.

Algo bueno que vale la pena mencionar, de todo el trabajo que trae Saturno en Sagitario, es que los últimos tres meses del año te verás reconocer y recompensar por lo que hiciste y subirás con rapidez en tu empresa o ramo profesional. Los mejores periodos para destacarte, aunque el reconocimiento tarde, serán: marzo, mayo y junio. Atención a los proyectos que tengas en ese momento porque serán de relevancia en tu carrera en muchos años por venir.

prosperidad

Aquí también te recuerdo que con Saturno y Marte retrógrados al mismo tiempo, de marzo a agosto, seguro viene un proyecto denso pero que te dará mucha satisfacción. Este es uno de los retos más grandes del año, pero con organización y cuidado a tu salud, podrás superar tus expectativas.

Si aún eres joven y estás en la universidad, este año podrás hacer las pasantías en un lugar muy bueno, donde considerarás quedarte a trabajar y donde puedes tener estabilidad hasta independizarte en el 2017. También estás en un año ideal para terminar materias pendientes y presentar la tesis, mejor después del 9 de septiembre.

Hablando ya en temas de emprendimiento personal, el planeta Urano que rige lo moderno, el internet y la tecnología, sigue en la zona de éxito profesional. Si Saturno no estuviera en Sagitario te diría que este es tu año para triunfar en *social media* o monetizar a tu placer tu marca, pero Saturno indica que aún hay mucho trabajo por hacer. Lo bueno es que Urano enciende tu vena progresista de estar a la vanguardia, eso no se va a apagar y si trabajas con dedicación cumpliendo con Saturno, a partir de diciembre de 2016 y todo el 2017 podrás independizarte con tu negocio, marca o servicios, no por eso vas a esperar hasta entonces para empezar a trabajar, de hecho, si estás pensando en tener tu propia aplicación, trabájala de marzo a septiembre y lánzala en diciembre, cuando muchas alineaciones están a tu favor.

Otra buena noticia es que los eclipses en Aries se han terminado. Los últimos dos años tuvimos esos eclipses en tu zona profesional que afectaron tu compañía, tu jefe, cambios de personal y dudas internas de lo que realmente quieres hacer. Con esos eclipses a tus espaldas, este año vas lento pero seguro a trabajar con tu propósito y descubrirás en ti talentos que ni sabías que querías, porque te sentirás en alineación con lo que amas, a pesar de que la cantidad de tus tareas sea exagerada.

salud

La salud es uno de los temas más importantes para ti este año, Cáncer. Hace mucho que no teníamos tránsitos importantes en la zona de tu horóscopo que rigen ese tema, pero este año está lleno de aspectos que le afectan, sin embargo, con conocimiento y organización puedes tener un año sin complicaciones o estrés innecesario.

El planeta que estará todo el año en la zona de cuerpo, rutinas, salud y calidad de vida es Saturno que no visitaba esa zona hace veintinueve años. Con Saturno en Sagitario tendrás la oportunidad de aprender a organizarte como nunca antes. Tendrás un horario que tú misma te estableces, un trabajo que te da cierta libertad en cuanto a rutina o rendir horas de entrada y salida se trata, pero no por eso tendrás menos trabajo, al contrario, este es un año de muchas tareas y proyectos que requerirán tu atención al detalle, constantemente. Ya por ahí se entiende que desde que se inicia el año debes tener la agenda a mano y guardar horas de descanso, discutir vacaciones con anticipación, etc.

Como Sagitario es el signo de los viajes, parte de tu trabajo será viajar o recibir gente del extranjero, situaciones que también afectan tu salud porque dejan cada vez menos tiempo para ir a entrenar o comer a las horas. Pero no es imposible, como te dije al inicio, Saturno es el planeta del compromiso, de especializarnos en un área y la misma presión por buscar tiempo para ti, te hará tener ese calendario bien marcado, al mismo tiempo que aprenderás a decir que no a las invitaciones, compromisos o tareas que en verdad no están alineadas con tus más altas metas. No por nada, Saturno es el planeta de los anillos, porque pone límites y estos no separan, al contrario, verás que ganas respeto de los demás.

Ahora, dentro de las "tareas" de Saturno en Sagitario, está su retrogradación que va desde el 25 de marzo al 13 de agosto y coincide con el paso del planeta Marte (acción) por la misma zona, también en retrogradación. Eso indica que ese periodo tendrás un proyecto muy importante y que tomará casi todo tu tiempo, serán los meses más extenuantes del año pero valdrá la pena. Como Marte afecta la energía física, ese periodo es el peor para intentar entrenar después de un día de trabajo de veinte horas, cuando lo que necesitas es dormir, o de intentar deportes extremos, porque puedes tener una lesión a la que le toma mucho tiempo sanar.

Aparte que Saturno y Marte retrograden en Sagitario, puede coincidir con un periodo en el que estás cambiando de trabajo, buscando algo mejor o que estés solicitando visa de trabajo en otro país, situaciones que a todos nos ponen con los niveles de estrés por todo lo alto, así que en ese periodo tómate todo con calma.

El periodo más fuerte de estos tránsitos de trabajo y estrés...
De marzo a agosto.

Cuando se hacen sentir más suaves, cuando resuelves lo pendiente o terminas proyecto importante...
Del 2 de agosto al 27 de septiembre.

tránsito a prestar atención

Los últimos tres meses del año Júpiter ya estará en Libra ayudándote con la mudanza, remodelación del hogar y también con el embarazo, gracias a que Marte estará en Capricornio y Venus en Escorpio. Todo empieza a acomodarse para que puedas disfrutar de una vida más calmada, y aunque Saturno seguirá en Sagitario indicando que hay trabajo, responsabilidades, viajes o demanda de tu presencia y atención a los detalles, estarás mucho más organizado y sabrás cómo balancear tu vida pública y privada. Si no tienes familia ni asentamiento en mente, los últimos tres meses del año tienen la combinación energética de Saturno en Sagitario (trabajo), Urano en Aries (emprendimiento) y Júpiter en Libra (buena suerte en negocios) para que empieces el 2017 con negocio propio o llevando tu marca personal a otro nivel. •

overview

Leo-

En el 2015 tuviste al planeta de la abundancia contigo. Júpiter te acompañó por un año, cosa que sucede cada doce años y, lo supieras o no, te creaste oportunidades de crecimiento y expansión que aprovecharás este año.

Esto te lo quiero explicar: que Júpiter se haya ido de tu signo no quiere decir que no gozarás de abundancia. Al contrario. Ahora que Júpiter está en Virgo es cuando realmente podrás aprovechar el trabajo hecho del 2014 hasta acá, cuando monetizarás o le sacarás más provecho a las oportunidades que nacen como consecuencia del pasado.

Aparte de eso, como Júpiter en tu sector del dinero no trabaja solo, hay mucha energía disponible precisamente para que consigas trabajo, ganes más, mejore tu reputación profesional y tengas estabilidad en tu vida, más que ofrecer a tu familia.

overview

También vale la pena mencionar que debido a la cuadratura en T que caracteriza el 2016, esta nueva estabilidad o sensación de riqueza en tu vida estará relacionada con una relación especial. Si esto es personal, se habla de tener hijos y muchos estarán dando la bienvenida a un pequeño al final del año. Si esta asociación es comercial, el proyecto estará dando resultados positivos los últimos tres meses del año.

A diferencia de años pasados tu nivel de compromiso es enorme, tu voluntad por hacer que las cosas funcionen y no imponerte, también. Podemos darle gracias al ciclo de Venus retrógrado del 2015 por haberte hecho recapacitar y aprender a conectar con otros a través del amor y no desde el ego. Esto también te ha hecho caer en cuenta de que es muy importante invertir en tu mundo privado, en tus relaciones más importantes.

Otro tema importante de este año es encontrar tu propósito o trabajar en algo que realmente te da satisfacción. Aunque el inicio puede ser rocoso o aún tienes compromisos pendientes en un trabajo anterior, la vena creativa está que estalla y Saturno junto a Marte en Sagitario, le darán estructura a una nueva carrera, *hobby* convertido en pasión que llevarás a ser un modelo de negocios rentable. Esto no será tarea fácil, pero con cada paso que das te sentirás más liberado y feliz.

El amor es un tema muy importante en el 2016. Hace muchos años no tenías tanta acción en la zona de tu horóscopo que rige el romance, conocer a alguien especial, el cortejo, el subidón de adrenalina y poner a latir fuerte tu corazón. El 2016 tiene mucho de eso (quizá demasiado) así que agárrate que te empiezo a contar.

Es importante mencionarte que para que este año el amor pueda ser real, debes haber aprendido las lecciones "antiego" el año pasado, con la retrogradación del planeta Venus. Una vez cada ocho años el planeta del deseo y relaciones tiene un evento muy especial en tu signo que se llama Venus *Star Point*. Este evento sucedió el 15 de agosto del 2015 y hay un antes y después. Para esa fecha debiste haberte dado cuenta de que en tus relaciones había mucho YO o ganas de imponer tu razón, que debido a eso perdiste o casi pierdes una relación importante y, si estabas soltero, que a partir de ese momento querías otro tipo de relación.

Después, en septiembre de ese año, Saturno –planeta del compromiso– salió de Escorpio, donde te dio tres años de lecciones sobre estabilidad, y entró en Sagitario, donde se queda hasta el final del 2017 y desde donde te ayudará a manifestar el amor de tu vida.

Nada de esto será fácil o posible si a pesar de la energía disponible que te ha traído hasta aquí, sigues empeñado en hacer las cosas a tu manera o no trabajar en tu estabilidad emocional, la que podrías compartir con alguien más. Sin embargo, Saturno en Sagitario no se quedará corto en lecciones que darte en esos temas, porque sí o sí, quiere que te enseries en una relación formal.

amor

Y así empieza el año...

Saturno está en Sagitario y el 2016 arranca con esa energía y con Marte en Escorpio, lo que te hace muy atractivo para el sexo opuesto, con muy buena onda para iniciar una relación o para mudarte con tu pareja, si es que inicias el año con una.

Otro excelente periodo para iniciar relaciones será cuando Venus visite el signo Acuario y este año te sucede dos veces: una del 16 de febrero al 12 de marzo, y otra del 7 de diciembre de 2016 al 3 de enero de 2017. De las dos visitas de Venus a Acuario, la segunda tiene mejores chances de que conozcas a alguien y la relación se enserie con rapidez, pero de todas maneras, la primera visita te puede ayudar a atraer a alguien muy diferente a las personas que atraías antes, alguien que saca cosas, deseos y ganas no conocidos en ti.

Aparte de esos dos periodos para conocer gente nueva, también tienes la visita de Marte a Acuario que será del 9 de noviembre al 19 de diciembre. Si Venus ayuda a conocer a alguien, Marte acelera la relación. En relaciones existentes se reenciende la llama, nuevos planes juntos los llevarán a nuevos lugares reales y emocionales para el 2017, muy probable con una oportunidad de trabajo que le sale a uno de los dos.

Evento importante

El 18 de agosto de este año tenemos el primer eclipse en Acuario en veinte años. Este será el primer eclipse de la serie Acuario-Leo que tendremos oficialmente a partir de la segunda mitad del 2017. Este eclipse de "adelanto" será muy importante en tu vida amorosa, pues es el momento en que se inicia una nueva etapa, o si la relación no es para ser en tu vida, es cuando se termina para siempre. Como te comenté al inicio de este libro, los eclipses son herramientas que nos acercan a nuestro potencial y duelen tanto como lejos estemos del carril, por eso lo mejor es confiar en lo que manifieste ese eclipse, que además, como le siguen otros dos eclipses, sabemos que será una temporada de cambios que buscan alinearte con la mejor versión de ti mismo. No es recomendable casarse tan cerca de los eclipses y en el caso del eclipse en Acuario, tampoco lo recomiendo porque estaremos saliendo de una larga retrogradación de Marte y Saturno en Sagitario, que es tu zona del romance. En ese momento aún estás "probando las aguas" y estabilizando la relación si es que te das cuenta de su potencial a largo plazo.

Tránsito a considerar

Ya sabes que Sagitario es la zona de tu horóscopo que rige el romance, el amor que comienza y las relaciones que aceleran tu corazón. También te comenté que esta sección del cielo tiene mucha actividad a lo largo del año y acá quiero contarte acerca del periodo de retrogradación que tendrán Saturno (compromiso) y Marte (acción) en ese signo.

Anota en tu agenda...

• Saturno retrograda en Sagitario del 25 de marzo al 13 de agosto.

• Marte retrograda en Sagitario del 17 de abril al 29 de junio, y en ese periodo volverá a tocar el signo Escorpio.

amor

Si hacemos un paréntesis inteligente, sabemos que de la mitad de marzo hasta el final de agosto esos temas de amor, romance y cómo llevar esto a un nivel formal, va a costar y a tomar tiempo. No todo planeta retrógrado es igual a Mercurio retrógrado, ciclo que seguramente conoces, pero sí te puedo decir que con dos planetas retrógrados en la zona del amor y el primer eclipse en veinte años en la zona del compromiso, hay que tomarse las cosas con calma.

Además, para que Saturno llegara a Sagitario han pasado veintinueve años. Para que Marte llegara a Sagitario han pasado dos. Parece poco, pero para que todo suceda al mismo tiempo, el mismo año, es mucha causalidad.

El 2016 tiene muchas oportunidades para verte en pareja, para comenzar una relación que se hará formal y para planificar tu matrimonio, pero debes tomar decisiones maduras, pensar en el potencial de la relación y conectar con el otro a través del amor y no del ego, no buscando cambiarlo ni imponiéndole tu visión, menos limitando su libertad o dejando que limiten la tuya. Resolver asuntos de distancia geográfica o decidir dónde van a vivir por el trabajo de uno de los dos, también les dará mucho trabajo. Para los que ya están estables se trata de que uno tenga que renunciar momentáneamente a un proyecto personal o pasión para seguir al otro, y ya sabemos que a Leo no le gusta doblegar su razón... pero este año vale la pena, sin embargo, es tu decisión y debes pensarlo bien.

Mejor momento del año en el amor

Todo el año el amor será un tema relevante, te aseguro que no te aburrirás. Pero será al final del 2016 cuando Saturno está en una mejor sección del signo Sagitario, cuando Marte está en Acuario y hayamos pasado ese primer eclipse en tu zona de compromisos, que tendrás las mejores estrellas para casarte. Júpiter estará en Libra a partir del 9 de septiembre dando la mejor energía en un ciclo de doce años para matrimonios civiles o firma de compra-venta de una casa, para aquellos que buscan estabilidad.

hogar

Antes de hablar sobre asuntos de estabilidad, hogar y familia en el 2016, hablemos de las lecciones que dejó Saturno en su paso por Escorpio desde octubre del 2012 hasta septiembre del 2015.

Saturno es el planeta del compromiso y trabajo duro. Este planeta estuvo en Escorpio por tres años trabajando todo lo que para ti tenía que ver con familia, herencias, familiares, miedo a repetir la misma historia de tus padres, miedos a casarte, miedo a asentarte, compartir dinero con pareja y más. Sus lecciones siempre nos hacen madurar y nos duran para toda la vida.

Es importante que identifiques qué lección dejó Saturno en Escorpio para ti en esos temas, porque este año Marte estará pasando por ese signo y de alguna manera tendrás que tomar acción. Para empezar, anota en tu agenda: Marte estará en Escorpio del 3 de enero al 5 de marzo. Después como Marte va a retrogradar del 17 de abril al 29 de junio, tocará de nuevo el signo Escorpio de mayo a agosto. En todos estos periodos resurgirán situaciones importantes de familia, estabilidad y pagos del hogar, que demandarán atención inmediata. Por ejemplo: si con Saturno en Escorpio tuviste problemas con una herencia, pagos de la propiedad o hipotecas, con Marte visitando Escorpio, puedes tener que volver a tocar esos temas, ahora tomando decisiones con celeridad. Si eres de las personas Leo que está atravesando una separación, estos periodos pueden ser muy difíciles porque la otra parte no termina de acordar lo que le corresponde a cada quien. Si hay familiares enfermos, estos periodos son para estar con ellos, para tenerlos bajo tu cuidado.

Pero bueno, no todo en temas de familia es de retos este año. Justo en medio de ese periodo de estrés, el Sol entrará en tu signo del 22 de julio al 22 de agosto y Venus te visita también del 12 de julio al 5 de agosto, haciendo que encuentres cómo relajarte, embellecer tus espacios y que algo en esos temas de reto salga a tu favor. Además, no olvides que Júpiter en Virgo estará protegiéndote de pérdidas materiales durante los primeros nueve meses del año. También tenemos el periodo del 23 de septiembre al 18 de octubre, cuando Venus visite Escorpio y te sientas con ganas de remodelar tu hogar e iniciar familia.

Si estás pensando en comprar una propiedad, el mejor periodo se inicia a partir del 9 de septiembre cuando Júpiter está en Libra, sin embargo, tienes el 26 de junio (5 días antes y después) para ver propiedades, aclararte en cuánto dinero necesitas, qué puedes pagar o para tomar la decisión de cambiar de urbanización y hasta de ciudad.

Hijos

Aunque en asuntos de familia hay mucho trabajo que hacer, tus hijos o la idea de iniciar familia te tendrá muy motivada a lo largo del año. Te he comentado mucho sobre Saturno en Sagitario, sobre todo en el amor, pero ese planeta de la manifestación también está encargado hasta el final del 2017 en darte bebés intelectuales o reales.

Si bien es cierto que con la retrogradación de Saturno y Marte en Sagitario, al mismo tiempo, puede costarte salir embarazada con

hogar

rapidez, si es algo a lo que te dedicarás, así como a crear el espacio ideal. Si de hecho sales embarazada antes de los periodos de retrogradación, el embarazo puede demandar más de ti de lo que esperabas, y deberás dejar de trabajar, dedicarte de lleno y atender esta, que será tu prioridad. Un mes en el que muchas mujeres del signo Leo quedarán embarazadas será en agosto, ya que, al final de ese mes, Marte y Saturno ya directos en Sagitario se unen.

Si ya tienes hijos, este es un año muy importante para ellos y tomarás decisiones para darles mejor calidad de vida y educación. De hecho, puede ser que por uno de ellos tomes una decisión que cambia completamente tu vida y la de tu familia.

prosperidad

En cuestiones de dinero y prosperidad, este es un buen año para ti. Esta información nos calma después de ver lo fastidioso que puede ponerse Marte en Escorpio, lo que te lleva a resolver asuntos de familia y propiedades.

Esta protección se la debemos a Júpiter en Virgo, tránsito que dura desde el inicio del año hasta el 9 de septiembre.

Júpiter es el planeta de la expansión y abundancia y, una vez cada doce años, visita tu sector de autoestima, valor, salario o posesiones, dándote muchas oportunidades para conseguir trabajo y no cualquier trabajo, ya que Júpiter trabaja de la mano con Saturno en Sagitario, que está buscando algo que acelere tu corazón. Pero eso sí, no se trata de que ese trabajo ideal viene fácil, de verdad tienes que salir a buscarlo y, más importante, superar las ganas de seguridad que te da un trabajo de 9 a 5 que te tiene la vida marchita. Así es, el verdadero reto es apostar por algo completamente nuevo.

Si hay un periodo que te hará cambiar de opinión, cambiar de carrera o de acumular frustraciones en el lugar aburrido de trabajo para hacer lo que de verdad quieres, será del 28 de abril al 22 de mayo con la retrogradación de Mercurio por el signo Tauro. Ese será un periodo donde si no ves resultados satisfactorios o te sientes estancado en el lugar de trabajo donde estás, te llevará a tomar una importante decisión.

Lo bueno es que para ese momento el planeta Júpiter ya estará directo, así que si te lanzas tienes buenas oportunidades de conseguir trabajo rápido.

prosperidad

Acá te dejo las fechas importantes de este tránsito para que las aproveches al máximo:

- El 7 de enero de 2016, Júpiter empieza a retrogradar en Virgo hasta el 9 de mayo. Este periodo no es de gastos, sino más bien de ahorro. No es buen momento para cambiar de trabajo ni para hacer inversión en una marca personal.

- El 13 de enero, el Sol en Capricornio estará en trígono con Júpiter retrógrado en Virgo, buen momento para hablar con el jefe y pedir aumento de salario por trabajo realizado antes, o cobro de una comisión que se te debe.

- El 23 de enero, Júpiter retrógrado en Virgo estará en el nodo norte de la evolución, el punto matemático de los eclipses, así que tener una entrevista este día no es del todo descabellado. Además, es muy posible que la oportunidad llegue a ti.

- El 26 de febrero, Mercurio en Capricornio estará en trígono con Júpiter retrógrado en Virgo, momento en que recibes propuestas, envías correos, currículums o te dan respuesta de la entrevista de trabajo.

- El 10 de febrero, Venus en Capricornio estará en trígono con Júpiter retrógrado en Virgo, un día que placer y trabajo se mezclan, en el que te beneficias por asociación.

- El 13 de febrero, Marte en Escorpio estará en sextil a Júpiter retrógrado en Virgo, un buen momento para resolver asuntos pendientes en el hogar, más si tienen que ver con deudas que vienen de antes.

- El 8 de marzo, Júpiter en Virgo estará en oposición al eclipse de Sol en Piscis, un momento donde querrás vigilar tus posesiones cuidarte de fraudes en línea, u otra forma de pérdida material. También puede ser el momento en que haces un gran pago y sales de una deuda.

- El 23 de marzo, Saturno en Sagitario estará en cuadratura con Júpiter retrógrado en Virgo. Evita discusiones con tu socio o pareja sobre el manejo de dinero.

- El 9 de mayo, Júpiter arranca directo en Virgo, a partir de allí buscar trabajo de manera abierta y activa va muy bien, buscar una nueva fuente de ingresos o una fuente secundaria.

- El 26 de mayo, Júpiter en Virgo vuelve a estar en tensión con Saturno en Sagitario. Mucho tiene que ver con la discusión del 23 de marzo.

- El 4 de junio, el Sol junto a Venus en Géminis estarán en cuadratura con Júpiter en Virgo, lo que puede hacerte querer cambiar de proveedores de servicio y hasta de amigos, si sientes que no te valoran. Si estás planificando una boda este es el momento en que evalúas muy bien cuántos invitados puedes tener.

· El 24 de junio, Júpiter en Virgo vuelve a llegar al nodo norte del karma, punto matemático de los eclipses, y recibirás buenas noticias o una buena propuesta de trabajo.

· El 26 de junio, Júpiter en Virgo estará en trígono con Plutón en Capricornio, una de las mejores alineaciones de Júpiter en este tránsito. En este momento algo realmente importante para ti se materializa.

· Del 22 al 27 de agosto, Venus y Mercurio en Virgo se unen a Júpiter. Verás avances en planes de trabajo, pagos, aumento de salario o mejores clientes. Si quieres captar gente nueva o contactar a viejos clientes que siempre te quedaron bien, aprovecha.

· El 9 de septiembre, Júpiter deja Virgo y entra en Libra.

Ya para terminar, quiero que sepas que Júpiter en Virgo (abundancia material), no trabaja solo en el 2016. Como estará trabajando con Saturno en Sagitario (darle estructura a un proyecto personal) y con Neptuno en Piscis (manifestando sueños) el dinero que ganes de una liquidación o que logres ahorrar debe ser invertido en un proyecto personal. Tú mismo serás tu *sponsor*. Este proyecto puede ser tu marca, o puede ser el sueño de tener casa propia

La salud este año puede verse afectada si dejas que el estrés, en cuestiones del hogar, te afecte demasiado. Ten la certeza que esos asuntos surgen para resolverse. Si eres de las mujeres Leo que salen embarazadas a mitad de año, ya sabes que con la retrogradación de Saturno y Marte al mismo tiempo, sería apropiado tomar precauciones, debido descanso y hacer de ese periodo tu prioridad. Al final del año cuando Marte entre en Capricornio, del 27 de septiembre al 9 de noviembre, tendrás tu periodo óptimo y con energía vital para iniciar nuevas rutinas, ponerte en forma y fortalecer tu salud.

Para ese momento ya Júpiter estará en Libra, y aunque ese tránsito se sentirá más en el 2017, los últimos tres meses del año te ayudará a darte mejor calidad de vida, lujos y disfrute, algo que siempre nos hace sentir mucho mejor.

tránsito a prestar atención

Préstale atención a los tres primeros ciclos de Mercurio retrógrado este año, que encuentras al inicio de este libro. Estas tres fases se darán en tus casas materiales. La primera fase que tenemos en enero trae cambios a tu rutina y calidad de vida. La segunda de abril a mayo en Tauro, te trae cambios en el norte de vida y profesión. La tercera, que será en Virgo, te trae ajustes económicos que puedes mover a tu favor si sigues la guía de Júpiter en Virgo, en la sección de prosperidad. •

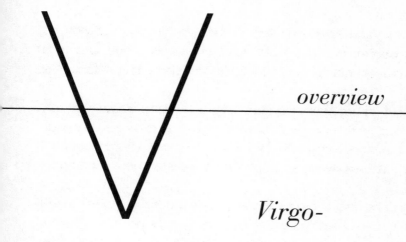

overview

Virgo-

El 2016 es un año muy especial porque Júpiter, planeta de la abundancia, oportunidades y crecimiento, está en tu signo, algo que sucede una vez cada doce años.

Lo más importante de este ciclo es estar consciente de que todo lo que inicies será importante en años por venir, para que escojas muy bien dónde y con quién depositas tu energía. Aparte de tener la visita de este maravilloso planeta también tendrás eclipses en tu signo y en Piscis, así que cuestiones de socios y pareja tomarán mucho tu atención, pasarán por cambios hasta que des con la persona ideal. Con más razón, debes poner atención a las señales para no caer en el patrón de siempre: querer salvar a alguien. Más bien, este año tienes la oportunidad de conocer a alguien igual, una persona que como tú, tiene muchas ganas de moverse hacia adelante y que no está esperando que la reparen.

overview

Esto no es todo. Aparte de tener mucha acción en cuestión de parejas y oportunidades, también experimentarás lo que es tener a Saturno, planeta del compromiso, en la zona de hogar y estabilidad.

Ya con este primer bocado queda claro que el 2016 es un año muy importante para ti, nunca habías vivido algo así y tres áreas de tu vida estarán cambiando para siempre: cómo te ves a ti mismo, dónde, cómo y con quién vives y si te entregas completamente por amor.

Lo que sí debo decirte es que lograr sacarle provecho a todo no será tarea fácil, pero si alguien está listo para trabajar por más y mejor, eres tú. Sé que le sacarás mucho provecho a estos tránsitos y que tomarás las decisiones más importantes de tu vida, que tendrás una vida emocional más rica y terminarás rodeado de personas que están cerca de ti para aportar, no para tomar.

Antes de hablar del amor que compartes con otros, hablemos del amor que nace dentro de ti. Júpiter está acompañándote los primeros nueve meses del año, aumentará la apreciación por ti mismo y te llevará a querer experimentar cosas nuevas. En esta búsqueda de sentirte mayor, más a gusto dentro de tu piel, de conocer gente nueva, viajar y hasta considerar mudarte, cambiará tu perspectiva de las relaciones. Mucho de esto también lo debes a alguien que perdiste el año pasado o a una relación que abrió tus ojos.

Con una vida personal más rica, empezarás a atraer diferentes tipos de personas, cosa que nos haría pensar que andarás de picaflor, pero con el planeta Saturno (compromisos) en la zona de la estabilidad, en verdad lo que más desearás es una relación estable... y el universo quiere ayudarte.

Si leíste el libro desde el principio verás que la alineación astrológica más importante es una cuadratura en T, entre Júpiter en tu signo, Saturno en Sagitario y Neptuno en Piscis. Para ti, esa T toca tres áreas de tu vida: cómo te ves, la estabilidad que quieres y la pareja que mereces. Neptuno, la meta de la fantasía y ensueño, ha estado en Piscis desde el 2012 y se queda hasta el 2021. Este planeta en su energía más alta trae esa alma gemela, pero en la más baja, trae decepciones.

Si aplicamos la lógica, el término "alma gemela" nos indica que uno atrae lo que ES, no lo que será. Uno siempre está atrayendo almas afines para aprender algo en un momento determinado, y con

Neptuno allí has tenido lecciones que te han llevado a conectar con la espiritualidad, aprender a fluir y aceptar a los demás. Claro que también te colocó en el lugar del salvador demasiadas veces, pero ahora que tenemos a Saturno que es como un policía y a Júpiter que te hace sentir que mereces más y mejor, las cosas van a cambiar. Pero de nuevo, de vuelta al término "alma gemela", la mejora debe partir de ti para atraer a una persona afín.

Los periodos más importantes para trabajar en ti, en cómo te sientes contigo mismo y en enriquecer tu mundo interno, son dos:

- *La retrogradación de Júpiter: del 7 de enero al 9 de mayo*
  Aún en su retrogradación, fechas como el 13 de enero y el 10 de febrero traen momentos lindos para el romance y conocer personas que van muy bien contigo.

- *La retrogradación de Mercurio en tu signo: del 30 de agosto al 22 de septiembre*
  Ya cuando Júpiter esté terminando el tránsito en tu signo, y te des cuenta de quién eres "ahora", después de tantos cambios que vivirás a mitad de año. Esto, lógicamente, te hará trabajar en ti y subir el estándar del tipo de persona que te gusta.

Hablando de la mitad de año, te comento que desde marzo hasta el final de agosto cambiarás un patrón muy arraigado en ti: el de salvar a otros. Las presiones de Saturno y Marte versus Neptuno en Piscis, harán que te des cuenta de que hasta que pongas sanos límites de cuidado propio, estarás repitiendo la misma relación con diferentes caras y cuerpos. Lo que sucede también en ese periodo es que tu familia de origen puede estar tratando de meterse en tu vida íntima y eso hace que la presión por dos frentes te haga tomar una actitud más independiente. Muchos hombres Virgo se verán en la situación de salir con alguien que su familia no aprueba, pero poco a poco les importará cada vez menos, porque también tienen derecho a vivir lo que desean sentir.

Si ya tienes pareja, este será un año en el que el vínculo se hace más fuerte y profundo. Hay varios periodos fértiles para procrear y también mucha energía disponible, para que trabajen como nunca y tengan su casa propia antes de que lleguemos a septiembre.

Casados, solteros, o pensándolo, quiero que veas los mejores periodos para conocer a tu alma gemela, que también son periodos de cambios en tus relaciones existentes.

El paso de Venus por Capricornio: del 23 de enero al 16 de febrero

Está bueno para conocer gente nueva y evaluar opciones.

El tránsito de Venus por Piscis: del 12 de marzo al 5 de abril

Es muy lindo para conocer a alguien nuevo pero tienes que destaparte un poco o soltar la idealización que tengas por alguien del pasado.

amor

El eclipse de Sol en Piscis: el 8 de marzo

Es un momento de cambio mayor. Si estás soltero conocerás a alguien nuevo, lo que al fin saca de tu cabeza a un ex.

El otro eclipse de luna llena en Piscis: el 16 de septiembre

Es un momento de decisión. Te darás cuenta si la persona con la que estás vale la pena o no, y de ser así, están listos para ir más allá y hacer de esa relación algo oficial.

El paso de Marte por Capricornio, al mismo tiempo que Júpiter está estrenándose en Libra: del 27 de septiembre al 9 de noviembre

Le cae de perlas a los solteros que estén buscando una persona mayor o muy bien ubicada.

El segundo paso de Venus por Capricornio: del 12 de noviembre al 7 de diciembre

Beneficia a personas Virgo que están recién separadas o que están saliendo con alguien que ya estuvo casado antes.

Aprovecha y disfruta.

El tema del hogar puede ser uno de los más importantes y largos para ti este año. Con la entrada de Saturno al signo Sagitario por primera vez en veintinueve años, el periodo de septiembre 2015 a diciembre 2017, coincidirá con los cambios más grandes en tu vida en relación a dónde, cómo y con quién vives. Como Saturno es el planeta de la responsabilidad, hay grandes cambios, pero con ellos aumentan las responsabilidades. Aparte de eso, tenemos que tomar en cuenta la energía del signo Sagitario. Este es el signo del extranjero, lo foráneo y fuerza de la zona cómoda, por eso, las mudanzas a otros países están muy marcadas, así como el enamorarte de una persona que tiene diferente *background* cultural, y de tanto hablar y viajar decidan casarse y establecerse en un lugar diferente al de tu nacimiento.

Oportunidades de trabajo también pueden llevarte lejos, pero no mucho después le sigue el amor. Larga historia hecha corta, si te atreves a salir de tu zona cómoda, no solo geográficamente sino de las costumbres y rutinas, ampliarás las oportunidades de conocer a tu alma gemela y vivir en un lugar que sientes que es para ti.

Esto suena muy lindo pero no se da sin trabajo, porque después de todo ese es el método de Saturno.

¿A qué me refiero?

Entre Júpiter en tu signo y Saturno en Sagitario, las ganas de hacer cosas diferentes, mudarte o trabajar en otro lugar, están así como la urgencia de encontrar la manera de estar estable y legal en ese nuevo país, así que la "búsqueda de la excusa", del curso, del trabajo,

hogar

la pasantía, etc., es la tarea de los primeros meses del año. Para poder irte, así sea por un periodo corto de exploración, necesitas ayuda, un *sponsor*, dinero en el banco. Las oportunidades están, pero los cinco primeros meses del año tienes que trabajarlas mucho por dos lados: del lado de alguien que te ayude, que de hecho lo vas a conseguir a pesar de que al inicio del año Júpiter está retro y del lado de tu familia de origen, que estará presionando bastante para que hagas las cosas a su manera y te quedes en el mismo lugar de siempre, sea porque lo expresen o porque requieren de tu ayuda económica. Si estás casado o con pareja seria, también es posible que la otra persona no vea en la misma dirección que tú el tema de expandir tus alas, pero no puedes negar que lo sientes en todo el cuerpo, que llegó el momento. De ser así, ya sabes que los eclipses en Piscis te ayudarán a tomar una decisión.

Como el tema de la estabilidad lo rige el planeta Saturno este año, debes tomar en consideración el periodo de su retrogradación, que irá desde el 25 de marzo al 13 de agosto. Usualmente este sería un periodo para trabajar en todo lo que tiene que ver con la mudanza, asuntos legales, permiso de trabajo, vender las propiedades en la ciudad que te vas, conseguir el apoyo o el dinero y debido a varias frustraciones, darte cuenta de cuánto quieres lo que quieres, cuánto te quieres mover, tener casa propia, no tener que lidiar con el dueño del apartamento y hasta con el gobierno de turno. "Bendice la molestia que te lleva a la certeza", sería la frase que te acompaña en esos cinco meses, y como el planeta Marte se une a esa retrogradación, verás que entre más frenos te pongan, más será tu determinación para hacer tu visión una realidad.

En ese periodo también será cuando te des cuenta de que debes vivir tu vida, no la que diga tu familia. Por mucho amor que se tienen, cada quien ha vivido lo que ha querido y ahora te toca a ti. Siempre has sido muy servicial y complaciente con los tuyos, eso no tiene por qué cambiar, pero oportunidades de crecimiento profesional y enriquecimiento de tu vida personal te llevan fuera de lo conocido y quizá sea una relación amorosa muy especial la que termina de abrirte los ojos.

Otros momentos a considerar en cuestiones de estabilidad, hogar y familia son el 17 de junio y el 10 de septiembre.

En ambas fechas tendremos las cuadraturas entre Saturno en Sagitario (creando estabilidad) y Neptuno en Piscis (la búsqueda del alma gemela).

Estas fechas son importantes porque coincidirán con el momento de decisión entre tu familia de origen y la que deseas crear con otro, o si estás casado, para saber si están viendo en la misma dirección.

En otros temas de familia, pero la que nace de ti, tienes varios periodos positivos para tener hijos o para tus hijos. Si estás buscando procrear, el final de junio presenta un periodo muy fértil y bueno... también caliente. Otro buen momento es del 27 de septiembre al 9 de noviembre con la visita de Marte a Capricornio y del 12 de noviembre al 7 de diciembre con la visita de Venus a ese signo también.

Para quienes no querían pero estaban muy activos, febrero y abril pueden traer sorpresas, así que cuídense si lo consideran necesario.

prosperidad

Antes de entrar de lleno en el tema de la prosperidad, sé que este año tu concepto de abundancia va a cambiar. Usualmente esta palabra se usa para referirte a cuánto tienes, cuánto puedes ganar y disfrutar; pero la cuadratura en T que tendrán Júpiter en tu signo (abundancia), Saturno en Sagitario (crear estabilidad) y Neptuno en Piscis (encontrar a tu alma gemela), te hará trabajar en enriquecer tu mundo interior para vibrar abundancia y atraer personas abundantes... en emociones y buenas intenciones. Te darás cuenta de que parte de la razón por la que te sentías pobre o no estabas viviendo la vida que querías, es porque no te arriesgabas y también sé que desde el inicio del año, tendrás ganas de atreverte un poco más, conocer gente diferente, viajar y llenarte de nuevas experiencias. Todo eso te enriquece y verás que se acercan personas que tienen mucho que ofrecer.

Ahora, hablando en términos de abundancia material, te comento que Júpiter en tu signo, desde el inicio del año hasta el 9 de septiembre, trae muchas oportunidades para ganar más dinero. Aunque Júpiter retrograde del 7 de enero al 9 de mayo, hay varias fechas que puedes aprovechar, tales como:

- El 13 de enero, el Sol en Capricornio estará en trígono con Júpiter retrógrado en tu signo. Buen momento para vender un producto o proyecto que ya está hecho, darle nuevo impulso, rediseñarlo, refrescarlo. También para contactar inversionistas y convencerlos de un proyecto que ya tienes entre manos, aunque el o los inversionistas quieran cambiar el modelo de negocio.

- El 23 de enero Júpiter retrógrado en tu signo estará en el nodo norte de la evolución, el punto matemático de los eclipses, así que hacer una presentación, propuesta o conversar sobre un aumento de sueldo, no sería una locura. También es posible que recibas una excelente oportunidad que "la vida y el universo te deben". Además, es muy posible que la oportunidad llegue a ti a través de alguien que ya conoces.

- El 10 de febrero Venus en Capricornio estará en trígono con Júpiter retrógrado en tu signo y un proyecto personal, muy cercano a tu corazón tendrá un *highlight*. También puedes ganar atención de alguien que te interesa gracias a tu trabajo. Mmm, justo a tiempo para San Valentín.

- El 13 de febrero, Marte en Escorpio estará en sextil a Júpiter retrógrado en tu signo. Buen momento para revisar contratos, cambiarlos a tu favor. Asesórate con anticipación.

- El 8 de marzo Júpiter en tu signo estará en oposición al eclipse de Sol en Piscis, un buen momento para evaluar si quieres tener un socio o, si lo tienes, reunirse y cambiar cómo están haciendo las cosas. Un cambio en este momento promete ganancias.

- El 23 de marzo Saturno en Sagitario estará en cuadratura a Júpiter retrógrado en tu signo. Este es un momento de tensión en el que tendrás que responder por la casa, hipoteca o por algún familiar. También es posible que debas pagar algo que no es tu responsabilidad, pero afecta a tu mamá o papá.

prosperidad

- El 9 de mayo Júpiter arranca directo en tu signo. Desde ese día y hasta el 9 de septiembre debes aprovechar al máximo este planeta y atreverte a buscar trabajo en el extranjero, trabajar con extranjeros o ganar en moneda extranjera. Todo está de tu lado y los tránsitos fuertes en el signo Sagitario te harán enfocarte para hacer de esa visión una realidad.

- El 26 de mayo Júpiter en Virgo vuelve a estar en tensión con Saturno en Sagitario. Mucho tiene que ver con la discusión del 23 de marzo.

- El 4 de junio el Sol junto a Venus en Géminis estarán en cuadratura con Júpiter en tu signo. Este es un buen momento para un cambio de trabajo. Si trabajas con hermanos la situación puede ponerse fastidiosa. Mucha paciencia y considera que lo que te choca te checa. Obsérvate y date cuenta de que después de mucho tiempo, estás listo para elegir un trabajo que realmente te estimule.

- El 24 de junio Júpiter en tu signo vuelve a llegar al nodo norte del karma, punto matemático de los eclipses y recibirás buenas noticias o una buena propuesta de trabajo.

- El 26 de junio Júpiter en tu signo está en trígono con Plutón en Capricornio, una de las mejores alineaciones de Júpiter en este tránsito. En este momento algo realmente importante para ti se materializa. No pienses únicamente en lo material porque acá la ganancia puede ser un embarazo o la oficialización de una relación de amor seria.

• Del 22 al 27 de agosto Venus y Mercurio se unen a Júpiter en tu signo. Justo para el final de la visita de Júpiter, estarás terminando proyectos pendientes y trabajando en un nuevo negocio o plan que debe empezar en los últimos tres meses del año. Haz que suceda.

Una vez que Júpiter entre en Libra, signo que no había visitado en doce años, empieza tu ciclo más importante en cuestiones de dinero, salario, propiedades y posesiones. Si manejas bien la visita de Júpiter en tu signo los primeros nueve meses del año, los últimos tres podrás comprar casa propia y asumir responsabilidades familiares que igual siempre te hacían tomar, pero ahora no te sentirás apretado cada vez que debas hacerlo.

Ya que he mencionado esto, también quiero recordarte de la estadía de Saturno en Sagitario y sobre esas responsabilidades familiares que tomarán de tu energía, tiempo y mucho dinero. Saturno es el planeta de la responsabilidad y compromiso. Su estadía en tu zona de base, hogar, estabilidad y familia será hasta el final del 2017, pero el año realmente difícil es este. Sea porque te casas, porque tienes tu primer hijo o porque tu familia de origen pide ayuda, te verás motivado y casi obligado a producir más. De hacer cotillón con una servilleta tú eres el *master*, pero te quedarás asombrado de lo mucho que puedes generar y producir usando la necesidad de hacer presente. Este tránsito te especializará, te enseñará a vivir con presupuesto y a rendir lo que tienes. Aun así, te sentirás abundante porque la chispa que te mueve será compartir y ver a los tuyos viviendo bien.

salud

De manera general, tu zona de la salud no tiene aspectos tensos, pero no podemos dejar de tomar en cuenta que al ser un año con muchos cambios, tus estados emocionales estarán cambiantes y eso afecta tu salud. Sin embargo, no es una regla, ya que depende de tu actitud personal para enfrentar esos cambios.

En cuestiones de estabilidad en tus rutinas, lo que te llevaría a comer mejor, ejercitarte y sentirte saludable, debes hacer un esfuerzo extra en abril, mayo y junio, que son los meses que más cambios en tus horarios o de trabajo puedes tener. En esos meses evita operaciones quirúrgicas, lo mismo cerca del eclipse en Acuario del 18 de agosto, que al ser de luna llena, puede llevarte a tener que cuidar o curar una condición, pero no es el mejor momento para operaciones. Para lo que sí son buenos los últimos días de agosto y el inicio de septiembre, es para terminar con vicios que te hacen daño. Para ese momento también tendrás a tu planeta Mercurio retrogradando en tu signo, lo que te hará considerar un cambio de hábitos y de imagen, pero te recuerdo... sin atajos. Para esas fechas ya Marte y Saturno estarán directos en el signo Sagitario, así que tendrás más calma y estabilidad.

Bien avanzado el mes de septiembre Marte estará entrando a Capricornio, y su cercanía al planeta Plutón inicia un periodo muy bueno para embarazos, si es que lo estás buscando. De ser así también te recomiendo que intentes quedar embarazada cuando Venus visite Capricornio del 12 de noviembre al 7 de diciembre.

tránsito a prestar atención

Hay muchos tránsitos importantes para ti este año, muchos de los que ya te he hablado en detalle. Ya para terminar, quiero hablarte de los cuatro ciclos de Mercurio retrógrado del año.

1° *Mercurio retrógrado entre Acuario y Capricornio*
Se inicia el 5 de enero en el grado 1 de Acuario
Termina el 25 de enero en el grado 14 de Capricornio

Esta retrogradación se da para ti entre la zona de rutinas diarias y la de proyectos creativos. Puede que un proyecto que creíste casi listo deba pasar por otra revisión o que te cueste salir embarazada. Aunque Mercurio es el planeta de la comunicación, es tu planeta regente y representa tu presencia, lo que vives, este atraso te hará cambiar de planes a largo plazo, afectará una decisión a tomar en tu carrera pero al final te hará pulir la presentación del proyecto o las intenciones con las que estás obrando. Esta retrogradación también te ayudará a ver con claridad a otra persona con la que estás en una relación amorosa, gracias a varias conexiones entre Mercurio y Plutón.

2° *Mercurio retrógrado en Tauro*
Se inicia el 28 de abril en el grado 23 de Tauro
Termina 22 de mayo en el grado 14 de Tauro

Esta retrogradación de Mercurio se da en la zona de oportunidades, asuntos legales y extranjero. Si estás solicitando una visa, permiso de trabajo o estás conversando con alguien que te gusta pero que vive en otro país, este periodo es para cuidar los detalles, hacer el seguimiento o preguntarte si es esa persona la que realmente quieres. Proyectos editoriales pueden estancarse o clientes en el extranjero demandar más de lo normal y tú estarás con las manos un poco atadas porque no todo depende de ti. Lo bueno es que los trígonos con Plutón en Capricornio, el 12 y 30 de mayo, te ayudarán a resolverlo. Te recomiendo asesorarte si tienes dudas o si sospechas que sería mejor trabajar con otro abogado.

3° *Mercurio retrógrado en tu signo*
Se inicia 30 de agosto en el grado 29 de Virgo
Termina 22 de septiembre grado 14 de Virgo

Esta retrogradación de Mercurio te hará reconsiderar muchos asuntos personales: cómo quieres ser visto, cómo te ves a ti mismo, si quieres cambiar tu *look*, si estás a gusto con los proyectos que tienes, si estás a gusto en una relación que se está enseriando, si sientes que das y recibes de manera equilibrada. Cerca del 2 de septiembre tendrás un momento de claridad sobre lo que realmente vale la pena para ti y qué debes aprender a conectar con tu fuente de abundancia, que viene de quien eres, no de lo que puedes obtener o cómo te puedas ver.

tránsito a prestar atención

4° *Mercurio retrógrado entre Capricornio y Sagitario*

Se inicia el 19 de diciembre en el grado 15 de Capricornio

Termina el 8 de enero en el grado 28 de Sagitario

Esta retrogradación de Mercurio se da entre la zona de familia o estabilidad y la de amor e hijos. Acá tienes "tiempo robado" antes de tomar una decisión importante relacionada con iniciar familia, mudanza o aceptar un trabajo con más responsabilidad, en el que ganes más para dar mejor calidad de vida a los tuyos. Para muchas personas Virgo, se trata de resolver dudas antes de entregarse completamente a una relación muy importante. ·

overview

Libra-

El 2016 se sentirá como dos años en uno para ti. Esto se debe a que Júpiter, el planeta de crecimiento y expansión, inicia el año en el signo Virgo, donde se queda hasta el 9 de septiembre y en esa fecha entra en tu signo, cosa que no había pasado en doce años. Por eso sentirás el contraste de tener al planeta de la expansión a tus espaldas tratando de que termines un ciclo importante de tu vida e inicies otro, cuando está contigo, pero el éxito de Júpiter en Libra de septiembre del 2016 a octubre del 2017, depende de cómo lo aproveches mientras está "a tus espaldas". Tener a Júpiter en el signo anterior al nuestro nos prepara para dar a luz algo grande y, sea un bebé real o intelectual, se sabe que los primeros nueve meses del 2016 estarás en producción, trabajando tras bastidores, cultivando tu vida privada y preparándote para uno de los años más importantes de tu vida en varias áreas. Esto no quiere decir que el 2016 sea un año callado o que vas a estar encerrado, para nada.

Júpiter en Virgo va a trabajar con Saturno en Sagitario y Neptuno en Piscis, una cuadratura en T que te hará viajar mucho, cambiar el enfoque creativo de tu trabajo, la organización con tu equipo y, muy importante, cómo te cuidas a nivel físico. Además, este año firmarás contratos importantes que darán los resultados que deseas al final del año y en el que viene, pero debes estar consciente de estás oportunidades y aprovechar las mejores fechas.

Sin nada más que agregar al observar el gran contexto, vamos a estudiar todas las buenas oportunidades que ofrece este año.

El 2016 es un año muy dinámico en cuestiones de amor. Empezando porque apenas arranca enero, tenemos una retrogradación de Mercurio que afecta los planes que tienes, personales o con pareja, sobre dónde y cómo vivir y si planean casarse, sobre el mejor momento para enfocarse en eso. Si estás en pareja notarás que sus agendas están chocando y que, por ahora, es mejor nutrir la idea pero no avanzarla, hasta que profesionalmente tengan el norte claro. Si estás soltero, esta retrogradación traerá realizaciones sobre la expareja, y quedará claro si es el mejor momento de moverte hacia adelante, impulsado por oportunidades profesionales.

Aparte de esto, el año también empieza con el planeta Marte muy activo, así que si estás en búsqueda de pareja Marte no se quedará corto de opciones en febrero y marzo. Si estás en pareja, estos meses son buenos para adelantar los planes que tienen juntos y también para viajar. En abril, Marte empieza a retrogradar y una vez más los asuntos de mudanza, matrimonio o tener el dinero que necesitan para adquirir lo que desean, va a costar.

Si en el periodo de Marte retrógrado que va del 17 de abril al 29 de junio, le das largas a una relación que sabes que no es para ti, te puedes quemar. Piénsalo bien y abre los ojos. Las señales no serán pocas, porque al mismo tiempo que Marte retrograde, Júpiter está muy activo en Virgo, que es tu zona de finales. Una de las señales más evidentes que te indican que una relación informal no debe darse es la oportunidad de mudarte o de obtener una beca de estudio.

amor

Si estás en pareja, desde marzo y hasta agosto deben planificar muy bien, tener un presupuesto y ajustar relojes. Hay parejas que están muy bien, son compatibles y tienen estabilidad, que en ese periodo pueden sentirse fuera de onda porque sus carreras y planes los llevan en direcciones opuestas. Por eso, si lo sabes, haz un esfuerzo extra para mantener la conexión.

En la primera mitad del año hay fechas a tener en cuenta...
Una es el 23 de marzo, cuando tengamos un eclipse de luna llena en tu signo. Este eclipse hará que te veas de una manera distinta. Recibirás propuestas o noticias que cambian una relación. Para muchos no se trata de finales, sino más bien de proposiciones amorosas y matrimonios que se apuran, sin toda la fiesta y afán que Libra dice que necesita. Esto sería auténticamente por amor.

Otra fecha importante es la luna nueva en Aries que será el 7 de abril, que te permite tener un borrón y cuenta nueva en una relación que tiene como meta ponerse seria, y también puede presentarte a alguien con quien la cosa se enseria rápidamente.

De los mejores tránsitos para conocer gente nueva, reencender la llama o ser proactivos en tu relación de pareja tenemos:

· La visita de Venus al signo Aries del 5 al 29 de abril, aunque en ese periodo tengas que llevar la fiesta en paz con tu pareja, el 9 y 19 de ese mes.

- La visita de Venus a tu signo del 29 de agosto al 23 de septiembre, tránsito que coincide con la entrada de Júpiter a tu signo, así que para las personas Libra que no tengan pareja este será el mejor periodo para atraer gente nueva, extranjera o iniciar una relación.

Otro evento superimportante es el eclipse en Acuario del 18 de agosto, el primero que se da en diecinueve años, en tu zona de romances que se inician. Esto nos dice que ya desde la segunda mitad de agosto en adelante los Libra solteros cambian de suerte y están vibrando esa energía de atracción y emparejamiento. Esta energía también beneficia mucho a las personas Libra que se separaron de su pareja en el 2015.

Para los que están en una relación seria, una vez que Júpiter entre en su signo y tenga la alianza con Saturno en Sagitario, se dan fechas muy favorables para matrimonio. De hecho, esta influencia la pueden aprovechar del 2 de agosto al 27 de septiembre.

El final del año trae muchos cambios para Libra en cualquier estatus estén, ya que Júpiter en su signo estará en tensión con dos grandes del cielo. Estos aspectos no son de separación sino de individuación, de saber quién eres dentro de una relación y seguir trabajando por tus metas personales. Eso sí, una vez más, tal como al inicio del 2016, hay que hacer esfuerzo extra para que sus agendas estén en sintonía, pero quizá no se trata de un desajuste entre ustedes dos, sino de la manifestación de una mudanza que les cambia la rutina y la calidad de vida.

hogar

En cuestiones de hogar y estabilidad, el 2016 es mucho mejor que el periodo vivido del 2012 al 2015, en el que seguramente tuviste que mudarte varias veces. Este año tienes varios periodos para invertir en tu casa, mudarte con miras a que sea una estadía a largo plazo o de casarte e iniciar familia. Los periodos son:

- *La primera visita de Venus al signo Capricornio:* del 23 de enero al 16 de febrero. Este periodo es bueno para tratar de ajustar tu agenda con la de tu pareja, roommate u otra persona que está ayudándote a conseguir casa. Sin embargo, como Mercurio no estará en su mejor funcionamiento, deberás esperar a que esté directo, al final de enero, para firmar o decidir.

- Otro buen periodo, a pesar de que habrá muchos planetas retrógrados al momento, será cerca del 26 de junio cuando Júpiter y Plutón unan esfuerzos. De hecho, este es un periodo en el que estarás gestando algo hermoso, sea un hijo, una colección, un libro. Trabajar en ello te hará sentir estabilidad interna y se manifestará en el mundo real.

- El periodo con más fuerza en cuestiones de estabilidad será del 27 de septiembre al 9 de noviembre, cuando Marte entre en Capricornio, cosa que hace una vez cada dos años, y te da energía para trabajar en estos temas, aparte de que por su naturaleza hace que las cosas se muevan rápido. En ese momento ya Júpiter estará en tu signo y estarás vibrando energía de expansión. Si pudieras elegir un buen momento para mudarte, remodelar o iniciar familia, este sería el mejor, siempre y cuando cuides de que tu y tu pareja estén mirando en la misma dirección, y no solo ahora, sino para el 2017, porque cambios de país se marcan mucho al final de este año.

Hijos

Dentro de la sección de hogar quiero hablarte de hijos; los que tienes o deseas tener. Este año tendremos el primer eclipse en Acuario desde hace diecinueve años y ese eclipse no solo afecta la zona de romances sino también de creación y procreación. Por ser un eclipse de nodo sur, por ser el primero de una serie que ni siquiera ha empezado, debes cuidarte de salir embarazada si no lo estás buscando, porque es incluso probable que suceda con alguien con quien apenas estás iniciando una relación.

Te hablo de ese eclipse primero porque es un evento que realmente merece tu atención.

Otros tránsitos lindos para salir en estado o hacer cambios para mejorar la vida de tus hijos son:

- Del 16 de febrero al 12 de marzo, con Venus en Acuario.

- Del 9 de noviembre al 19 de diciembre, otro periodo grande en cuestión de embarazos sorpresa debido a Marte en Acuario.

- Del 7 de diciembre al 3 de enero, que será la segunda visita de Venus al signo Acuario.

hogar

Insisto en recordarte, al mismo tiempo que tienes estos periodos grandes en temas de amor y fertilidad, hay fuerzas mayores que te mueven de lugar, y al ver el año completo, hay agendas diferentes entre tú y tu pareja. Por eso, la planificación consciente es muy importante.

prosperidad

En los planos de la prosperidad y expansión, será cuando Júpiter entre en tu signo, a partir del 9 de septiembre, que empezará tu mejor año. Sin embargo, eso no quiere decir que no lograrás avanzar en cuestiones materiales. De hecho, el año empieza con Marte, planeta de la acción, en Escorpio, que es tu sector del salario. Esta visita la hace Marte una vez cada dos años, por eso debes ser muy proactivo y aprovechar los tres primeros meses del año para buscar trabajo o crear otra fuente de ingreso. En este momento Júpiter estará retrógrado en Virgo, por eso los trabajos más apropiados para ti serán de producción o tras bastidores. Si eres de las mujeres Libra que se casó en el 2015, este periodo coincide con un embarazo, pero es justo por eso, que te sentirás que vales más o que la apreciación de otros hacia ti está en incremento.

Más adelante, de marzo a junio, Marte estará retrogradando, y por eso camina hacia adelante y hacia atrás entre Escorpio y Sagitario. Esto afecta contratos y acuerdos que quieras lograr con colaboradores, inversionistas o clientes. Sentirás que parece imposible concretar un plan, pero en verdad deberías usar esos meses para pulir tu estrategia. Algo muy grande estará por salir a la luz los últimos meses del año, y la producción de eso se da a mitad del año. El proyecto tenderá a tomar vida propia y terminará siendo mucho más de lo que pensaste, y sus ganancias se harán sentir en enero del 2017.

prosperidad

Un buen periodo para asociarte o abrir una cuenta conjunta con tu pareja sería del 29 de abril al 25 de mayo, cuando tu planeta Venus está transitando por Tauro, pero justo en ese momento, Mercurio estará retrogradando en el mismo signo, así que a pesar de lo que leas por ahí, lo mejor será esperar hasta la última semana de junio.

Último pero no menos importante, si estás buscando nuevo trabajo, atenta a las fechas de los eclipses en Virgo y Piscis. Te favorece el eclipse en Piscis del 8 de marzo y el que será en Virgo el 1 de septiembre.

Tu zona de la salud se verá afectada este año por eventos importantes en el signo Piscis.

Días cercanos al 17 de junio y el 10 de septiembre son para hacerse chequeos, sobre todo si estás embarazada, porque el exceso de trabajo más otras obligaciones pueden afectar al bebé.

Otras fechas importantes son los eclipses en el signo Piscis. Uno es el 8 de marzo y resulta favorable para dejar malos hábitos; el otro es el 16 de septiembre, y es para tratar una condición específica.

Ya con saber que tu zona de la salud tendrá más actividad que en los últimos ocho años, debes tomar consciencia y cuidarte, comer mejor y planificar el inicio de una familia si es una de tus metas en un año de tantos cambios.

tránsito a prestar atención

Al final del año cuando ya Júpiter está en tu signo, tendrá demasiada actividad. Te comento:

- El 26 de septiembre se une al Sol en tu signo y es cuando realmente vas a sentir lo que es tener al planeta de la expansión contigo.

- El 24 de noviembre, Júpiter en tu signo estará en cuadratura con Plutón en Capricornio y se plantean cambios grandes en cuestión de hogar, familia y mudanzas.

- Del 9 al 11 de diciembre, Júpiter estará en alianza con el Sol y Saturno en Sagitario, lo que te da estabilidad después de esa decisión al final de noviembre, y esta calma viene con la firma de un contrato o por matrimonio.

- El 24 de diciembre Saturno en Sagitario estará en trígono con Urano en Aries y esto te afecta porque a tu socio o pareja le sucede algo muy positivo que influye en sus decisiones de expansión.

- El 26 de diciembre Júpiter en tu signo estará en cuadratura con Urano y es cuando es muy importante "sincronizar relojes", comunicarse bien, acordar lo que ambos quieren y empezar a trabajar por ello. ·

E

overview

Escorpio-

Al final del 2015 se terminó un patrón energético que incluía al planeta Saturno en tu signo. Esto quiere decir que desde el 2012 hasta el final del 2015 estuviste recibiendo duras lecciones sobre quién eres, sobre qué quieres hacer, cuál es tu propósito y tu capacidad para asumir responsabilidades. Todas esas lecciones te serán muy útiles este año en el que Saturno, ya entrado en Sagitario, que es tu zona del dinero, pondrá pruebas para que trabajes y produzcas más. Puede que no sea el año más fácil en cuestiones de finanzas y propiedades, pero tienes la oportunidad de diversificar tu trabajo, ganar en moneda extranjera, mudarte por trabajo, obtener una visa de trabajo, viajar constantemente y pulir un proyecto personal que supera tu visión y expectativas. El éxito de todo esto depende de qué tan consciente estés de lo aprendido en los últimos años y qué tan bueno seas poniendo límites, diciendo que no o terminando la relación con clientes que te quitan más de lo que te dan.

overview

Por todo esto, el 2016 es un año de especialización en el que verás con tus ojos lo que eres capaz de crear en el mundo material y aun así, las pruebas personales no se quedarán cortas.

El amor es como siempre un tema fundamental, pero a diferencia de años pasados, gracias a los eclipses en Piscis tienes el chance de encontrar a tu alma gemela. Para poder aprovechar ese encuentro debes tomarte las cosas con calma, aprender a confiar y hacerla parte de tu vida y tus planes.

Para quienes están ya en una relación o están casados, será un año de lograr juntos cosas importantes. No te enfoques tanto en el contrato de matrimonio civil como en lograr la mudanza, comprar la casa o quedar encinta.

Tú, mejor que los demás signos, sabes que lo que enriquece nuestra vida es una relación real, que su fondo sea honesto, que el compromiso venga de adentro. Las apariencias o llenar un papel en la sociedad no es lo principal, y este año con tantas alineaciones mágicas, encontrarás a alguien que piense y se sienta igual.

Gracias a los eclipses en el signo Piscis, que serán el 8 de marzo y el 16 de septiembre, muchas personas Escorpio encontrarán pareja este año, pero habrá tanto énfasis en asuntos de trabajo y dinero, que para mantenerse felices y disfrutando de esa relación de pareja hay que hacer tiempo.

Lo más particular de las alineaciones del amor para ustedes es que, debido a la presencia de Júpiter en el signo Virgo, los primeros nueve meses del año, habrá una tendencia a relacionarse seriamente con amigos, que amistades se conviertan en algo más, o que vuelvan con una expareja. Esta última idea también está "apoyada" por la visita de Venus al signo Tauro, del 29 de abril al 24 de mayo, justo cuando Mercurio está retrogradando también allí, que es su zona de parejas serias. Estos tránsitos al mismo tiempo hacen de ese periodo uno importante en reconciliaciones, reconsideraciones, y donde se ponen de acuerdo para reencender la chispa.

Algo que hará que las personas Escorpio se comprometan y se enamoren más, es que con el reloj astrobiológico andando, querrán juntarse para tener hijos.

Si estás soltero y en búsqueda de pareja, la luna nueva en Tauro del 6 de mayo es buena, siempre y cuando estés seguro de que has superado a alguien del pasado.

Otro momento importante para proposiciones, compromisos y compenetración, se da los últimos días de junio, a menos que te gusten personas de tu mismo sexo, y allí tu momento es la segunda mitad de abril.

Últimas pero no menos importantes, dos cosas: si inicias una relación, ten en cuenta que hay varios tránsitos este año que pueden hacer que te mudes al extranjero. Por eso, iniciar una relación con alguien que está a distancia no es descabellado, más bien funcional, ya que si inicias una relación y te mudas inmediatamente, será una carga resolver ese asunto en vez de disfrutarlo.

En el mes de septiembre hay decisiones importantes que tomar con la pareja sobre el futuro de la relación. Puede ser el momento en que por varias circunstancias decidan mudarse juntos.

La mejor manera de conocer personas este año es a través de tus amigos. Este año verás que el amor llega "por un conocido amigo de un amigo" que, a su vez, también estaba tratando de ayudarte a conseguir un mejor trabajo, o que el año pasado te consiguió un trabajo. De ser así, si ya identificas quién es ese amigo que vale su peso en oro, puedes estar seguro de que es a través de él o ella, que conoces a alguien que como tú tienes ganas de crecimiento, viajes, expansión y espiritualidad.

Momentos donde te sentirás más atractivo...
El inicio del año es muy fuerte para ti. Tu planeta Marte te visita una vez cada dos años y de enero a marzo te hará atraer muchos admiradores, pero debido a tendencias obsesivas, que se mezclan por ahí, es mejor observar y escoger con precaución.

Aunque en asuntos de dinero hay pruebas a lo largo del año, tienes mucha actividad y apoyo para mudarte, adquirir casa propia o hacer remodelaciones en el hogar. El primer periodo favorable es cuando Venus visite por primera vez el signo Acuario del 16 de febrero al 12 de marzo. Este es un buen periodo para remodelar tu casa o para ir viendo qué hay en el mercado, qué necesitas para un préstamo o para recibir ayuda de tu familia de origen.

El periodo más importante se dará cerca del 18 de agosto, cuando tengamos el primer eclipse en Acuario en diecinueve años, y ya Saturno y Marte estén en mejor condición en tu sector del dinero. Ese eclipse en Acuario te mostrará cuánto puedes obtener de un préstamo, crédito o hipoteca, que te hace falta o te lleva a adquirir lo que está ahí para ti. Si estás considerando mudarte de país, cerca de esta fecha empieza a planteártelo, para ejecutarlo al final del año, con Venus en Capricornio del 12 de noviembre al 7 de diciembre.

Aparte de ese tránsito, si deseas mudarte al extranjero, también te dejo estos periodos para que aproveches gestionar asuntos legales o ir a la nueva ciudad a explorar:

- La estadía de Venus en Cáncer es buena para ir al nuevo lugar e investigar qué necesitas para mudarte. Este periodo se da del 17 de junio al 12 de julio. La luna nueva en Cáncer del 4 de julio será un momento para aprovechar si de verdad tienes intención de optar por una nueva vida lejos de la zona cómoda de confort.

hogar

- La última semana del año, cuando Júpiter ya en Libra tenga patrones dinámicos con los grandes del cielo, marca un cambio drástico en tus rutinas y calidad de vida.

Hijos

Si tenías en tus planes tener un hijo este año o si tenías tiempo intentándolo y no sucedía, el 2016 tiene buenas noticias. Eso sí, como los asuntos de dinero son un reto la mayor parte del año, es necesario que te administres bien antes de tomar la decisión de tenerlos.

El eclipse que tendremos en Piscis el 8 de marzo marca un periodo de mucha fertilidad, romance, amor y ganas de compartir esto con otro. Sin duda, este es el periodo más lindo para salir en estado.

Luego tenemos un eclipse el 16 de septiembre, también en Piscis, pero esta vez de luna llena. Para quienes les ha costado más, este es el momento, y no sucede sin pasar por pruebas muy emocionales, así que terminará por sentirse como una realización, pero si lo estudiamos en un contexto más grande, este eclipse te verá con mejores condiciones económicas y de hogar como para dar este gran paso.

Otro tránsito favorable pero leve es la visita de Venus al signo Piscis, que será del 12 de marzo al 5 de abril. Las condiciones se dan, pero hay mucho sucediendo en tu vida en otras áreas, así es que si sabes que hay cosas que preparar antes de salir en estado, espera al segundo eclipse en Piscis.

prosperidad

Saber dónde está Júpiter en determinado año nos da la pista de por dónde viene la abundancia a nuestra vida. Es lógico que la abundancia externa sea una extensión de la interna, pero Júpiter nos dice por cuál área se dan las oportunidades que debemos aprovechar. En contraste, el planeta Saturno nos dice dónde tenemos que recortar gastos. En tu caso, Júpiter está en la zona de amigos, colegas y clubes. Saturno está justo en la zona de salario. Esta influencia ya se hacía sentir desde el año pasado. Las personas Escorpio han tenido que aprender a bajar el ego, las ganas de control y apreciar las oportunidades que amigos y conocidos lanzan a su camino, porque creen en ustedes. Esto no está mal, pero debido al carácter de Escorpio, es natural que quieran tener la razón, y el placer de decir que una oportunidad se la han ganado solitos... ¡y es verdad! Solo que una mano de parte de una persona generosa no cae mal y no tiene por qué hacerte sentir menos. Además, si hay algo que se marca mucho este año, es que un amigo te recomienda para que te encargues de franquicias o negocios que envuelven viajes, contacto con extranjeros o que te financian la preparación en una universidad o curso para que después puedas dar más. Si tienes mente abierta y de estudiante te beneficiarás en grande.

Ahora, para ir por partes, te comento que el año empieza con tu planeta Marte en tu signo, esto te ayuda a salir a buscar trabajo, nuevas fuentes de ingreso, aprovechar lo que sabes, aprovechar tus contactos. Cuando se inicia febrero, Marte en tu signo estará en contacto con Júpiter en Virgo y con tu otro planeta, Plutón, que está en Capricornio. Estas conexiones provechosas al inicio de febrero

prosperidad

traen las ofertas y oportunidades de la mano de un amigo, o la vuelta de un cliente que siempre te ha caído muy bien. También tendrás la oportunidad de renegociar contratos o lograr un contrato que te dé visa de trabajo, te permita viajar. Para los hombres Escorpio esto puede tener que ver, o venir, a través de un matrimonio (contrato civil) y con los beneficios que crea esto, podrán invertir o ganar más.

Si eres un emprendedor independiente, este año es bueno considerar volver a la escuela, tomar cursos o dar clases sobre lo que sabes. Con Saturno en Sagitario ser el profesor o tener un profesor será un asunto importante del que te puedes beneficiar.

El periodo más difícil en cuestión de dinero y comodidad comienza en marzo, cuando Saturno empieza a retrogradar en tu sector del salario. Saturno retrograda hasta la mitad de agosto, pero eso no es lo que hace este periodo tan tedioso, sino que Marte, uno de tus planetas regentes, se une a Saturno para retrogradar en esa zona también, teniendo no una sino dos energías muy fuertes que urgen el recorte de dinero, tener un presupuesto y terminar lo pendiente con clientes o en contratos, que no pudiste mover a tu favor con la asesoría de un abogado, el año pasado.

Por este tipo de situaciones es que dar clases, escribir y monetizar contenidos pueden salvarte el periodo. Algunos Escorpio involucrados en medios tienen el chance de ganar en este periodo de "vacas flacas", dando clases virtuales, *webinars*, dando conferencias, etcétera.

Una vez que llegamos al 2 de agosto esta tensión en la zona del salario empieza a disiparse, para que antes del 27 de septiembre te hayas creado una gran oportunidad que tiene que ver con un nuevo proyecto o trabajo.

Todo el mes de septiembre y las dos primeras semanas de octubre, tu planeta Marte estará pisando terreno seguro y tendrás muy buena suerte promoviendo tus ideas, haciendo ofertas o vendiendo mercancías.

Otro buen periodo para pedir aumento de sueldo o ganar más es cuando Venus visite el signo Sagitario, que será del 17 de octubre al 12 de noviembre.

Otra cosa que vale la pena resaltar es que debido al incremento de energía y los eclipses en el signo Piscis, entre más artísticos sean los proyectos que inicies, mejor te irá. Tu creatividad estará por todo lo alto en marzo y septiembre, pero debes crearte un plan para traer esas visiones a tierra y comprometerte con el proceso de manifestación.

salud

Este año puedes hacer mucho por tu salud, por tu apariencia y también por tu nivel de energía. Desde ya debes saber que el 2016 y sus tránsitos demandarán mucho de ti debido a que tu planeta Marte que casi nunca retrograda, lo hará por largo tiempo y de la mano de Saturno que añade responsabilidades. Por eso, aprovecha de enero a marzo que Marte está en tu signo para ponerte en forma, para cambiar cómo te alimentas y tu nivel de actividad, cosa que aun si dedicas largas horas a tu trabajo, tengas buena condición física. Marte en tu signo también te ayuda porque aporta energía, y así puedes optar por levantarte más temprano y hacer ejercicios o hacerlo al salir de trabajar. Aparte de la energía física, Marte en tu signo aumenta el deseo sexual y allí también quemamos calorías. Como mencioné recién, los tres primeros meses del año son los más activos y que te encuentran más atractivo, así que aprovéchalos.

Otro periodo muy activo (y atractivo) es cuando Venus visita el signo Aries, que será del 5 al 29 de abril. Para ese momento ya Saturno y Marte estarán retrógrados y tendrás mucho trabajo, pero si aprovechas este momento puedes conseguir un compañero que te acompañe y motive para ir al gimnasio, comer mejor. Usa la luna nueva en Aries del 7 de abril para proponerte hacer ajustes y cambios, que ya se habían caído de tu lista de resoluciones de año nuevo.

De más está decir que mientras Marte y Saturno están retrógrados (calcula de marzo hasta el final de agosto) no te recomiendo cirugías plásticas, y si estás embarazada y se trata de tener al bebé, asegúrate de estar preparada. De todas maneras, con esto no quiero decir que tengas embarazos riesgosos, sino que te prepares desde el inicio del año para fortalecer tu cuerpo y que en ese momento no tengas que hacer tanto esfuerzo o te veas con muchos kilos por eliminar después.

tránsito a prestar atención

Aunque la retrogradación de Marte entre tu signo y Sagitario a mitad de año suene fuerte, es un periodo que te da la oportunidad de impulsar un proyecto personal, para terminar de certificarte o para ir, paso a paso, en un plan que más adelante te dará estabilidad. De hecho, tener la oportunidad de editar algo antes de la entrega final y convertirlo en algo mejor es posible de marzo a agosto, por eso no te frustres o gastes toda tu energía pensando en que esta fase es negativa.

Otro tránsito a prestar atención es a la entrada de Júpiter al signo Libra, que empieza el 9 de septiembre de este año y dura hasta el 7 de octubre del 2017. Esta movida del planeta de la abundancia al signo que está a tus espaldas no había pasado en doce años. Usualmente tener a Júpiter "en el signo de atrás" indica que se inicia un periodo de doce meses en los cuales estaremos trabajando en producción, tras bastidores o gestando algo realmente importante que más adelante nos abrirá muchas puertas. Lo que empieces a gestar con Júpiter en Libra depende mucho del área de tu vida que desees ver en expansión para ese momento, lo que sí te puedo decir con seguridad es que ese tránsito también te hará terminar con lo que ya no necesitas, y entre eso, se va una fuente de ingreso o un puesto de trabajo que te ha quedado pequeño. Como a lo largo del año te estarás preparando para ser más profesional, tener mejores clientes, etc., esto se sentirá como un paso natural. Ya para el 26 de septiembre te irá quedando claro qué es lo que debes eliminar y cuál es la manera más educada para hacerlo sin quedar mal con antiguos jefes o clientes.

tránsito a prestar atención

Otra fecha importante del tránsito de Júpiter en Libra, es su cuadratura con uno de tus planetas, que es Plutón, el 24 de noviembre. Esta tensión puede hacer que un cliente, o alguien con quien trabajabas antes, no quiera hacer fácil la terminación de un contrato o que una vieja deuda resurja, pero Júpiter es el tipo de influencia que ayuda a que tengas con qué pagar. Lo bueno sería que antes de esa fecha recortes gastos y tengas tus cuentas al día.

Aparte de eso, alienaciones muy dinámicas la última semana del año pueden darte la gran oportunidad de trabajo que buscabas y que, de verdad, va a la par con tu preparación y garantiza tu libertad creativa. ·

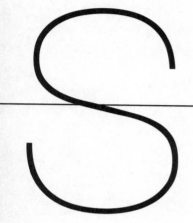

overview

Sagitario-

Hemos llegado a uno de los años más importantes de tu vida. No importa la edad que tengas, si entendieras lo raros y preciosos que son los tránsitos, que están conjugándose al mismo tiempo, no te quedaría duda de que se está alineando con tu propósito, preparándote para algo muy grande que empieza ahora y explota en el 2017.

Resulta que después de veintinueve años Saturno ha llegado a tu signo. Este es el planeta de la responsabilidad, madurez, liderazgo, estatus y poder. Ya había tocado tu signo a finales del 2014, pero por muy poco tiempo, y te lo menciono para que seas consciente de que durante todo el 2015 tuviste esa sensación de que algo más grande se estaba gestando y que tanto trabajo tenía que llevarte a algo. Bien. En septiembre del 2015 una conversación, idea de negocio o propuesta cambió todo y aunque al inicio del 2016 aún está muy inmadura y sin forma, con tiempo, dedicación y paciencia la vas a moldear, creando un nuevo camino de realización profesional.

Para las personas Sagitario que no estén muy interesadas en asuntos profesionales, este tránsito tiene que ver con matrimonio o ser padres por primera vez.

Como la visita de Saturno se da al mismo tiempo que tu planeta Júpiter visita la zona de éxito y crecimiento de tu horóscopo –cosa que sucede una vez cada doce años– el cambio de estatus e imagen delante de los demás será un hecho.

Con el reflector en la cara será difícil mantener apariencias o relaciones que no son auténticas, por eso es un año que te pule por todas las esquinas y, aunque se vea difícil en algunos momentos, los últimos tres meses serán tan satisfactorios que agradecerás la pasantía del universo y te darás cuenta de que más que valer la pena, vale la dicha y lo que está por venir.

A pesar de que es un año muy fuerte en asuntos de trabajo y realización personal, Marte por tu signo y Venus en varios tránsitos aseguran que también habrá tiempo para relaciones personales intensas, más auténticas.

Te cuento...

Si hay algo bueno de tener a Saturno en tu signo es que te deja cero tiempo para juegos o para alimentar fantasías sin fundamento. Estarás tan enfocado en tu trabajo, en tu crecimiento personal, que quien quiera estar contigo debe demostrar que tiene madera para hacerlo.

Si eres mujer, no podrás bajar tu luz solo para atraer a un hombre que quiera sentirse "el fuerte". Esto tampoco quiere decir que solo alguien más exitoso es quien tendrá chance, de hecho, Júpiter se encargará de atraer a alguien bastante dulce. Pero lo que no tolerarás es a alguien que quiera limitarte o decirte que no trabajes, que hagas menos. Si eres hombre, también estarás atrayendo a personas dulces, pero, entre esas, a algunas víctimas que deseen rescate, y para eso no tienes tiempo.

Aunque esto suene raro, tu mismo te darás cuenta de que te sientes cada vez menos atraído por el drama, y que deseas una pareja con quien puedas hacer tus sueños realidad, sin que tu nivel de ambición sea un problema. Además, la presencia de Saturno en tu signo indica que el 2016 y el 2017 son años de serios compromisos y si estás en una relación que no tiene futuro, con las tensiones entre Saturno, Júpiter y Neptuno, esa relación que no da más se va a acabar.

amor

Pero como Venus y Marte estarán tocando puntos estratégicos de tu horóscopo, no estarás solo por mucho. Los periodos más activos en el amor son:

- *Marzo*
  Los planetas, pasando por Piscis, te hacen querer tener alguien con quien perderte, con quien sentirte en casa, compartir tu vida muy privada. El eclipse del 8 de marzo demostrará si pueden vivir juntos y ser una pareja de verdad.

- *Abril*
  Los planetas, pasando por el signo Aries, estarán calentándote las ganas por una relación realmente apasionada. En ese momento Marte empieza a retrogradar y puede que un ex vuelva para las mujeres Sagitario.

- *Junio*
  Los planetas, pasando por Géminis en medio de una tormenta de alineaciones fuertes, traen varias personas interesadas. Si estás soltero, no te apresures en escoger, evalúa y disfruta.

Momentos de compromiso
Cerca del 26 de junio, cuando tu planeta Júpiter está en trígono con Plutón en Capricornio, uniendo propósito y ganas, trabajando con su realidad y con la verdad.

La temporada de compromiso más fuerte para ti será del 2 de agosto al 27 de septiembre, cuando Marte y Saturno estén muy cerca en tu signo. En ese periodo el eclipse de Sol en Virgo el 1 de septiembre trae un momento de cambio en una relación formal.

La segunda y tercera semana de diciembre están como para compromisos y matrimonios. Para ese momento tu planeta Júpiter estará en Libra y, aunque muy agitado, hay buen *feeling* para un evento de celebración fuera de este mundo.

¿Qué pasa si no estás feliz en tu relación?

Puede que este año hagas de todo para alejarte de la tentación, pero si no estás feliz en una relación en abril y junio puede que caigas de lleno en otra relación o forma de escapismo. La presencia de Saturno presionando a Neptuno (planeta de la fantasía) hará que las relaciones que no tienen futuro terminen por hacer espacio y crear algo auténtico.

hogar

A pesar de que hay mucho énfasis en crecimiento personal y profesional, Neptuno en Piscis y dos eclipses en ese signo llevan tu atención a asuntos del hogar en varias ocasiones este año.

El primer eclipse en Piscis será el 8 de marzo y es de Sol, así que significa un inicio en cuestiones de hogar, estabilidad y sentirte bien emocionalmente. Este eclipse puede verte mudándote, mudándote con alguien por amor o la liberación de patrones emocionales pasados, que al mismo tiempo te liberan de amores y propiedades que ya no deben estar en tu vida y que tú no debes ocupar. Si estás considerando mudarte este año, te recomiendo que busques un lugar cerca del agua y que uses esta temporada como la primera para ver y revisar que hay disponible para ti que se ajuste a tus deseos y presupuesto. Como al mismo tiempo Venus entra en Piscis del 12 de marzo al 5 de abril, este es el mejor momento para reunirte con un decorador y mejorar relaciones con familiares. Esta temporada también puede coincidir con un enamoramiento y las ganas de vivir con ese alguien que amas.

El otro eclipse en Piscis se dará el 16 de septiembre. Este eclipse además de ser de luna llena también se da después de meses de muchos cambios, así que si te mudas en este momento hay chance de conseguir algo mejor o de adquirir una propiedad en vez de rentar. Acá estamos hablando de un compromiso más grande y por la cuadratura entre Neptuno y Saturno se marca como una separación o un matrimonio. Hay un evento emocional que afecta la decisión sobre dónde, cómo y con quién vives.

Fechas importantes para tomar decisiones sobre el hogar y la familia: 17 de junio y 10 de septiembre.

Tómate tu tiempo en estos momentos porque lo que decidas será permanente.

Hijos
Si quieres tener hijos vas a tener que planificarlos. Si tienes hijos, verás que debes cubrir más responsabilidades y gastos por ellos de lo previsto. Abril y mayo son meses en los que este tema tendrá mucho de tu atención.

Si está dentro de tus manos y deseos planificar, el 2017 es un mejor año para salir embarazada y disfrutar de esta etapa, ya que este año tienes tanto trabajo, ajustes a nuevos presupuestos y gastos, que difícilmente podrás disfrutarlo con la paz que amerita.

prosperidad

El 2016 tiene dos tránsitos que influyen en tu prosperidad, en cómo trabajas y cómo te administras. Te explico por partes.

- Saturno, planeta de la responsabilidad, está en tu signo por primera vez en veintinueve años. Este tránsito que dura dos años y medio se trata de aumentar tu capacidad y niveles de responsabilidad. Saturno en tu signo te convierte en un líder, en un jefe, pero como es un periodo de aprendizaje viene mucho trabajo, empezando por el que tienes que hacer contigo para poder delegar después a los demás. Este tránsito es tan duro como ajeno a las lecciones de trabajo, compromiso y responsabilidades.

- Júpiter, que es tu planeta regente, es el planeta de la expansión; como los primeros nueve meses de este año estará en el signo Virgo, hay mucho trabajo, muchas oportunidades de crecer y darte a conocer pero no tendrás tiempo libre y la paga no se sentirá a la par del esfuerzo.

Estos dos tránsitos dándose al mismo tiempo indican que este es un año de "pasantías". Te estás especializando en algo pero requiere más dedicación. Júpiter en Virgo puede traer personas para que trabajen contigo, pero no podrás delegar y partir, tendrás que estar pendiente de todo al mismo tiempo y la cantidad de tareas y responsabilidades se multiplicará. Estos tránsitos también pueden indicar cambio de carrera, de trabajo o la producción de un evento muy importante en tu vida. Aprenderás a tener paciencia, a trabajar con presupuesto, a organizarte, a sacar tus impuestos, a dejar de derrochar, a hacer los pagos. Si eres hombre esto coincide con la responsabilidad de ser padre, algo que trae mucha alegría pero más necesidades.

Si estás estudiando, este año puedes conseguir el mejor lugar para hacer pasantías, conseguir un mentor o iniciar postgrado. Todo lo que suceda tiene como finalidad hacerte madurar y prepararte para un cargo con poder.

Ya que tienes estos dos tránsitos claros, te dejo las fechas importantes de Júpiter:

- Tu planeta Júpiter empieza a retrogradar del 7 de enero al 9 de mayo. Este es un periodo para revisar tus metas a largo plazo, decidir si cambias o no de trabajo, para resolver asuntos legales y para pulir una estrategia que envuelva presentación de imagen, productos y servicios. Sin embargo, que Júpiter retrograde no quiere decir que no tendrás buenas oportunidades, más bien, puedes recuperar contactos del pasado y clientes que antes fueron fieles a ti.

- El 13 de enero el Sol en Capricornio estará en trígono con Júpiter retrógrado en Virgo. Buen momento para cobrar lo que se te debe del pasado. Vuelve a contactar clientes que por vacaciones estaban sin cancelar. También es una buena fecha para retomar actividades que quedaron en suspenso por las fiestas.

prosperidad

- El 23 de enero Júpiter retrógrado en Virgo estará en el nodo norte de la evolución, el punto matemático de los eclipses, así que hacer una presentación no sería una locura. Tampoco sería raro obtener un vasto reconocimiento por trabajo hecho en el pasado. También es posible que recibas una excelente oportunidad que "la vida y el universo te deben". Además, es muy posible que la oportunidad llegue a ti a través de alguien que ya conoces.

- El 10 de febrero Venus en Capricornio estará en trígono con Júpiter retrógrado en Virgo, buen momento para hablar de un aumento de sueldo, pero si estás en posición de jefe, quizá te lo pidan a ti.

- El 13 de febrero Marte en Escorpio estará en sextil a Júpiter retrógrado en Virgo. Se conversa sobre un proyecto que requiere larga producción. Piénsalo bien antes de aceptar, porque puede tomarte la mitad del año. Si trabajas en producción, tras bastidores o en una marca en la que no eres cara, este es un gran momento.

- El 8 de marzo Júpiter en Virgo estará en oposición al eclipse de Sol en Piscis. Esto puede coincidir con abrir tu propio negocio u oficina.

- El 23 de marzo Saturno en tu signo estará en cuadratura a Júpiter retrógrado en Virgo. Evalúa si en realidad puedes aceptar más trabajo o si te ves presionado de más en una situación. Puede que te canses de trabajar para alguien que, según tú, no sabe tanto o no aprecia tu trabajo.

- El 9 de mayo Júpiter arranca directo en Virgo. Desde ese día y hasta el 9 de septiembre debes aprovechar al máximo este planeta, haciendo conexiones, dándote a conocer, mostrando tus habilidades. Para ese momento Saturno y Marte estarán retrógrados en tu signo, sin embargo, hay chance para brillar.

- El 26 de mayo Júpiter en Virgo vuelve a estar en tensión con Saturno en tu signo. Mucho tiene que ver con la discusión del 23 de marzo.

- El 24 de junio Júpiter en Virgo vuelve a llegar al nodo norte del karma, punto matemático de los eclipses, y recibirás buenas noticias o una buena propuesta de trabajo.

- El 26 de junio Júpiter en Virgo está en trígono con Plutón en Capricornio, una de las mejores alineaciones de Júpiter en este tránsito. En este momento algo realmente importante para ti se materializa. También se estará hablando de préstamos, inversionistas o un nuevo presupuesto, más grande.

- Del 22 al 27 de agosto Venus y Mercurio se unen a Júpiter en tu Virgo. Justo para el final de la visita de Júpiter estarás terminando proyectos pendientes y trabajando en un nuevo

prosperidad

negocio o plan, que debe empezar en los últimos tres meses del año, y te coloca a ti como líder. Haz que suceda.

Ahora vamos a hablar de los tránsitos de Saturno y Marte en tu signo...
Así como es raro que se den al mismo tiempo el tránsito de Saturno (compromiso) en tu signo y el de Júpiter (expansión) en Virgo, que es tu zona profesional; es más raro aún que en medio de esto te visite Marte, planeta de la acción que no te visitaba hace dos años y que no retrogradaba en su visita hace quince. En verdad, el 2016 es MUY especial para ti y, sí o sí, estás preparándote para cosas grandes.

¿De qué se trata la visita y retrogradación de Marte en tu signo?
Ya sabemos que Saturno quiere especializarte para que seas la mejor y más madura versión de ti hasta el momento. Marte te llena de energía que debes invertir para lograr tus metas. Esta energía no estará bien invertida en fiestas y tampoco te serán atractivas. Tú sí te verás muy atractivo, en cuanto estarás atrayendo personas que desean estar en tu equipo.

Como Saturno te está entrenando para ser jefe, Marte ayudará a que de verdad tomes la lección. Te sentirás con *drive*, con hambre de cosas nuevas y de arriesgarte, así sea calculado, en cuestiones profesionales. Además estarás muy competitivo.

Para que lo tomes en cuenta, Saturno retrogradará en tu signo del 25 de marzo al 13 de agosto y Marte lo hará del 17 de abril al 29 de junio. Será al final de agosto, cuando todo vuelve a ponerse en su lugar, que un proyecto estará bien pulido, un asunto legal resuelto y tú estés listo para arrancar con todo, aunque después debas lidiar con Mercurio retrógrado. Sin embargo, el periodo del 2 de agosto al 27 de septiembre, que Marte y Saturno están cerca, lograrás una o varias metas por las que estabas luchando desde el inicio del año, y al final de septiembre podrás recuperar oportunidades de negocios, perdidas en meses anteriores.

Una vez que Marte entre en Capricornio, del 27 de septiembre al 19 de diciembre, el dinero empieza a fluir y tendrás con qué tomar serias decisiones. Te sentirás muy satisfecho.

Ya al final del año, cuando sea Venus la que visite el signo Capricornio del 12 de noviembre al 7 de diciembre, podrás darte lujos y vacaciones muy merecidas.

A tomar en consideración...
Los ciclos de Mercurio retrógrado son de importante observación este año en cuestiones de trabajo, dinero y prosperidad. Como las cuatro retrogradaciones se dan en signos de tierra, si te organizas con anticipación no tendrás apuros, sino buenos resultados.

prosperidad

1° *Mercurio retrógrado entre Acuario y Capricornio*
Se inicia el 5 de enero en el grado 1 de Acuario
Termina el 25 de enero en el grado 14 de Capricornio

Esta retrogradación se da entre tu zona de ideas y la de dinero. No es el mejor momento para invertir en una nueva página web o aplicación, más bien para sacarle el jugo a lo que ya tienes hecho, a volver a promocionar lo viejo, refrescar su imagen, revisar proyectos antes de dar un centavo. Las conexiones que Mercurio tendrá con Plutón, Júpiter y Urano sugieren que si metes en el búnker tus ideas y las dejas marinar antes de actuar, algo muy bueno puede salir para ser conversado con un equipo en febrero.

2° *Mercurio retrógrado en Tauro*
Se inicia el 28 de abril en el grado 23 de Tauro
Termina 22 de mayo en el grado 14 de Tauro

Esta retrogradación es importante porque sucede en tu zona de trabajo diario, detalles, salud y rutinas. Vas a reevaluar lo que haces con ganas de tener mejor calidad de vida, y bien puede ser que un proyecto en específico te lleve al extremo de querer parar, organizarte mejor, contratar ayuda o delegar más de lo que habías hecho hasta ahora. Si no estás trabajando o trabajar no es uno de los temas más importantes para ti, en este momento puedes estar ajustándote a un nuevo estilo de vida, eliminando alimentos, empezando ejercicios, mudándote y sintiéndote un poco incómodo con estos cambios, tratando de organizar todo hasta sentirte en casa de nuevo. Te recuerdo que por mucho que se organice tu mundo material, debes asegurarte de que en esta fase te sientas cómodo contigo mismo y seas muy honesto con vicios y hábitos que debes eliminar para vivir en bienestar.

3° Mercurio retrógrado en Virgo
Se inicia 30 de agosto en el grado 29 de Virgo
Termina 22 de septiembre grado 14 de Virgo

Esta retrogradación es muy importante. Justo cuando Marte (acción) y Saturno (responsabilidad) han dejado de retrogradar en tu signo, Mercurio empieza a retrogradar en la zona profesional. Es como si te dieran luz verde, quieres arrancar pisando a fondo el pedal y tienes el freno de mano puesto sin haberte dado cuenta. Por muy frustrante que sea, esta es una lección para no irte de bruces. Ya sabes lo que quieres hacer, tienes un plan personal o profesional en mente, pero debes hacerlo bien. Tu presentación pública o cómo manejas tu marca/imagen debe ser estudiada. Lo mismo sucede en relaciones que pueden cambiar tu estatus civil, ya están fuera de una fase de trabajo y dudas. No hay necesidad de acelerar. Si se van a casar o a vivir juntos, hagan las cosas con calma, háganlas bien. Ahora, dentro de esta retrogradación hay una fecha que debes apuntar, el 2 de septiembre, cuando vuelve una oportunidad grandiosa. De nuevo, esta vez, haz las cosas bien.

salud

Muchas responsabilidades y largas horas de trabajo te obligarán a cambiar hábitos. Para la temporada del 29 de abril al 24 de mayo, cuando Venus está en Tauro y Mercurio retrograde por allí, será el mejor momento para hacerlo después de reflexión, y con voluntad. Más específicamente, la luna nueva en ese signo el 6 de mayo ayuda. Aparte de esto no hay tránsitos que indiquen complicaciones, enfermedades o cirugías, pero solo con saber que Marte te visita (lo hace una vez cada dos años) y que va a retrogradar en tu signo, no está de más recordarte tomar un tiempo de descanso, tener vacaciones, apostar por nutrir y fortalecer relaciones personales que te hagan compañia, aligeren la carga. Lo otro es que, como ya sabes, el planeta Saturno está contigo por primera vez en veintinueve años. Este es el planeta de la madurez y responsabilidad, y cuando nos visita nuestra energía vital baja, nos sentimos más cansados, mayores y salir hasta las cinco de la mañana ya no será atractivo. Este tránsito no afecta tu salud, pero sí deprime un poco ver cómo te cansas cuando antes eras un dínamo de energía, sin embargo, es una buena lección para aprender a administrarte mejor y utilizar tu atención y energía en lo que realmente vale la pena.

Otro tema que me parece relevante tocar es el de los viajes, conocer otros países o dar a conocer tu empresa, marca o productos más allá del ámbito local.

En el 2015, Júpiter en Leo ayudó a que adelantaras un asunto legal, una certificación o unos registros cerca de agosto. Esto puede haber avanzado lentamente desde allí, o no estás viendo los resultados que quisieras. Pero el 18 de agosto tendremos un eclipse de luna llena en Acuario que pone todo esto en moción y vuelven a activarse oportunidades para hacer lo que imaginabas desde el año pasado. Con gracia, esto coincide con el despertar de Saturno y Marte de una larga fase de retrogradación en tu signo, así que estarás listo para emprender y moverte, aunque sería menester estar organizado para que cuando se dé la oportunidad no estés atado por otros compromisos. Has esperado mucho por esto, y a partir de esa fecha nada ni nadie te podrá parar. ·

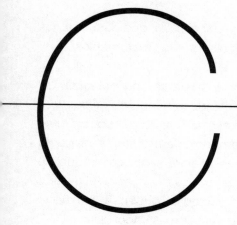

overview

Capricornio-

Del 2012 al 2015 el planeta Plutón, que es sinónimo de transformación, tuvo tensiones fuertes en tu signo. Esas tensiones no solo llegaron a su final, sino que ahora –gracias al avance de otros planetas– dan paso a trígonos armoniosos que te ayudarán a crear y disfrutar de estabilidad en el 2016.

Si el 2015 fue un año de empuje y crecimiento, este año es de culminación de procesos de transición, de cumplir metas y disfrutar la materialización de lo que hasta ahora solo eran visiones y promesas, sobre todo en el amor.

El reto de este año es tomar la decisión de entregarte con todo y no volver a mirar atrás. ¿Estás listo? No importa si al inicio del año no lo sientes así. De marzo a septiembre tu planeta Saturno se encargará de darte pruebas, y que te asegures, de si lo que alguien te ofrece es realidad, y allí tendrás la certeza para dar el salto, que para muchos envuelve otros países, otras culturas o segundos matrimonios.

Otro tema importante este año son los talentos en potencia, las ganas latentes. Por tanto tiempo has estado frenándote y midiéndote por miedo a perder estabilidad, pero este año se dan las condiciones propicias para explotar un talento dormido o para gestar un proyecto intelectual, o un bebé, situación que te hará sentir cosas que no habías sentido antes. Esto hará que te atrevas a cortar con el pasado emocional, el apego a la familia o la ciudad de origen. Tu familia, lo que nace de ti y lo que está por venir será lo más importante.

El amor no es un gran tema al inicio del 2016. Si comienzas el año en una relación, los tránsitos te empujan a tomar decisiones sobre estar juntos, vivir en el mismo lugar y planes a futuro que envuelven adquisiciones materiales o compartir bienes.

Si estás soltero, que el año empiece con Venus en tu signo y Marte en Escorpio te hace un magneto de gente nueva que se interesa en ti, pero con tu planeta Saturno en Sagitario tienes un GPS increíble para detectar quién vale la pena y quién no. Una persona que no está disponible, que es tu amigo pero deseas algo más, que vive lejos o de gran diferencia de edad puede llamar tu atención; y si realmente intuyes que vale la pena, puedes trabajar esa relación de marzo a agosto, cuando después de haberlo pensado bastante uno de los dos se atreva a dar un paso más allá.

Más adelante en el año, si estás soltero y solo quieres conocer a alguien con quien entablar una bonita relación, la luna nueva en Cáncer del 4 de julio inicia un ciclo de romance, de atraer personas que te admiran, pero, de nuevo, tus deseos parecen estar en alguien que admiras y que presenta un reto.

Ahora, al final del año la cosa cambia completamente. El 9 de septiembre Júpiter –planeta de la expansión, abundancia y crecimiento– entra en Libra, cosa que no había sucedido en doce años, iniciando el ciclo de doce meses en el que muchas personas Capricornio se van a enseriar y casar.

amor

Esto no quiere decir que no habrá amor para ti en el 2016 hasta el final, sino que entre probar, tener certeza, apostar por esa persona, entregarte y confiar, se te puede pasar el año para que al final acuerden un compromiso a tu medida.

De vuelta con los que están en una relación seria o ya están casados, el 2016 se trata de crecer juntos, de adquirir casa propia o de tener hijos, tema que aunque toma su atención, no será tan fácil.

Otro tema a tocar en la sección de amor y relaciones es que las personas Capricornio estarán atrayendo parejas que ya estuvieron casadas o que tienen hijos de matrimonios previos. De ser así, no te frenes por eso. Esto es parte de la lección, y aunque de marzo a agosto puede sentirse como un ajuste, adecuarte a esta realidad y hacerla tuya, empezará a sentirse más natural en septiembre.

hogar

Tu zona de hogar y estabilidad está relativamente tranquila este año. Los años anteriores ya tuviste demasiada acción, lo que te llevó a mudarte, a tener ansiedad por saber cómo ibas a pagar la renta, a discusiones con hermanos o a sentir urgencia por mudarte de país. Ya este año estás más estable y claro en lo que necesitas, y te ves apoyado por tu pareja, socio o compañero.

Será al final del año que los Capricornio solteros se ven compartiendo el hogar con alguien más y, de hecho, haciendo planes para adquirir una propiedad.

Un evento importante, que vale la pena mencionar, es el eclipse de luna llena en Libra, el 23 de marzo, que para los Capricornio que ya están en una relación hace sobrevenir una situación que acelera la decisión de vivir juntos o no.

También hay un trígono entre Júpiter y Plutón el 26 de junio, así que al acercarnos a esa fecha sería conveniente hacer lo que debes si quieres mudarte al extranjero, o si deseas entrar en una universidad que está en otra ciudad.

Para los Capricornio de la mitad de enero, conseguir trabajo en el extranjero se dará sin mucho esfuerzo y será alrededor de esta fecha cuando todo termine de caer en su lugar y se puedan mudar. Claro que con Saturno retrógrado en ese momento, después de la mudanza empieza un periodo de adaptación, pero sin embargo se ve tranquilo, nada en comparación con los años anteriores en los que se sentía que la transición era impuesta.

hogar

Ya que estamos en ese tema, si de verdad estás interesado en mudarte al extranjero y el final de junio te ve moviéndote de lugar, vive la transición con calma, que será el eclipse del 18 de agosto el que te verá escogiendo un lugar en el que te agrade vivir. Me refiero a que quizá debes llegar a un lugar temporal antes de tener uno propio y será el eclipse de luna llena en Acuario con el que resuelvas asuntos de propiedades o dinero.

Al final del año tenemos otro periodo muy dinámico. Debido a que Júpiter estará en Libra en conexión con tu planeta Saturno y también con Plutón en tu signo, el 2017 puede iniciarse con otra mudanza, buscando un lugar más grande donde quepa toda una familia. En el 2017, las noticias de casa e hijos serán muy relevantes desde el inicio del año.

Hijos

Este año tienes un tránsito relevante en cuestión de niños. Ya te comenté que puedes estar atrayendo a alguien que ya tiene hijos o que no está interesado porque los tuvo, son grandes y no está buscando tener más; sin embargo, si estás interesada en tener hijos, el periodo del 29 de abril al 24 de mayo es muy fértil. Venus estará pasando por Tauro pero Mercurio también estará retrogradando por allí, así que hay que hacerlo en silencio o quizá usarás métodos atípicos, pero de ser así, esto es muy importante para ti. No decaigas ni pierdas la lucha. Ten la certeza de que esto es para ti.

prosperidad

Hay algo que siempre has tenido a tu favor pero no has podido aprovechar al máximo y es la estadía del planeta Plutón en tu signo. Este año que está finalmente fuera de tensiones, que duraron del 2012 al 2015, la clave está en aprovechar cada vez que un planeta conversa con él, sea porque visita tu signo o porque lo contacta armoniosamente.

Acá está la lista de los días y conexiones más importantes que hará Plutón desde tu signo:

- **5 de enero**

  Cuando el Sol en tu signo se une a Plutón y no solamente empieza un año nuevo, sino que también se inicia un ciclo de un año en cuestiones de metas, ambiciones y cómo manejas tu poder. Cerca de este día es importante reunirte con tu equipo, socios, gerente o persona con la que discutes lo que será tu año laboral, para hacer planes, también de la estrategia que tienes pensada para mejorar tu posición en la empresa o ramo profesional. El detalle está en que para ese momento Júpiter, planeta de la abundancia, estará empezando a retrogradar en la zona del extranjero y por eso, lo que tenga que ver con visa de trabajo, mudarte a otro lado en búsqueda de mejores oportunidades, debe ser revisado y trabajado minuciosamente. Lo que puedes hacer es contactar a alguien del pasado para que te ayude a lograrlo.

prosperidad

- **16 de marzo**

  Este día están en trígono armónico el planeta de la abundancia, que es Júpiter, y Plutón en tu signo. Aunque Júpiter está retrógrado este es el momento de recuperar un proyecto, darle nueva vida, cambiar personal. La meta de mudarte a otro país o hacer algo más grande sobre un tema que ya estabas tocando, es posible. Por ejemplo: puede que estuvieras escribiendo en un blog y empieza una propuesta editorial, o que estuvieras trabajando en radio y hay oportunidad de trabajar en televisión y así. Es la misma energía, trabajas en algo que conoces pero empieza a abrirse camino a algo más grande, también porque cerca de esta fecha tendremos un eclipse que te ayudará a lograrlo.

- **26 de junio**

  Este día tenemos el segundo trígono armónico entre Júpiter, ya directo en Virgo, y Plutón en tu signo. Acá es cuando ves el resultado de lo conversado y planificado desde marzo y al mismo tiempo cuando empieza el trabajo duro de preparación y producción.

- **19 de octubre**

  Desde el 27 de septiembre sentirás está energía de impulso, tesón y ganas de tomar acción gracias a la visita de Marte a tu signo, algo que sucede una vez cada dos años; pero el 19 de octubre, que se une a Plutón, será el momento más importante en cuestiones de tener trabajo estable, mostrarte y mostrar tu trabajo, conseguir una posición importante.

prosperidad |

- **24 y 25 de noviembre**
  Para este momento ya Júpiter se ha movido a Libra, algo que te voy a explicar en breve. Estos dos días Júpiter en libra estará en tensión con Plutón, así que hay un reto, una presentación, o la aceleración para terminar algo pendiente. Aquí puede estarse discutiendo un cambio de estatus civil o profesional.

El mejor momento profesional
El 9 de septiembre el planeta de la abundancia, que es Júpiter, entra en Libra, algo que no pasaba en doce años. Con Júpiter en Libra hasta octubre del 2017 tendrás el periodo más importante en cuestiones de carrera, éxito y cumplimiento de metas a largo plazo en muchos años. Como la energía del signo Libra indica, esto no lo harás solo, sino con tu pareja o socio. Por eso, los primeros nueve meses del año estás trabajando por ese *breakthrough* o ese momento importante en tu carrera que te consolida, y para septiembre lo estarás viviendo. Eso sí, a partir de allí empiezas algo nuevo pero en una posición de líder. No sería raro que antes de la entrada de Júpiter en Libra un contrato termine y te deje libre para contratar con una nueva empresa o abrir la tuya, o que empieces desde cero en otra ciudad, pero con muy buena fama y apoyo en tu medio.

Ahora, si eres mujer o el interés no está en cuestiones de trabajo, la entrada de Júpiter a Libra inicia un año muy importante en temas de pareja y matrimonio, pero eso te lo cuento en la sección de AMOR.

prosperidad

Dinero

Ya hablamos de la expansión, tu ambición y estatus. Hablemos ahora de los mejores ciclos de dinero para ti, que son:

- Del 16 de febrero al 12 de marzo, cuando Venus visita por primera vez el signo Acuario. Este es un periodo para aprovechar y tomar proyectos a corto o mediano plazo para cobrar rápido. También un buen periodo para pedir un aumento de sueldo.

- Cerca del 18 de agosto, ese día tendremos un eclipse en el signo Acuario, el primero en diecinueve años. Ese eclipse cambia tu fuente de ingreso, cambia cómo administras tu dinero y presenta la oportunidad de ganar más por asociación, por comisión o por matrimonio. Un mes antes del evento ya irás dándote cuenta de las circunstancias y notarás por dónde viene la cosa. Tú pon de tu parte siendo consciente de cómo administras tus recursos y en caso de que tu negocio necesite un socio, debes estar con los ojos bien abiertos buscándolo. Este también será el periodo en el que recibes un préstamo o crédito que te ayude a adquirir una casa, por ejemplo.

- Del 9 de noviembre al 19 de diciembre, cuando el planeta de la acción, que es Marte, está en Acuario. Esta visita que sucede una vez cada dos años es la mejor para llenarte de energía para la búsqueda de nuevas fuentes de ingreso o valorar lo que ya tienes. Como para este momento hay otras alineaciones dinámicas que indican que estarás en una nueva empresa, con otro tipo de contrato o emprendiendo por tu cuenta, Marte en Acuario cae como anillo al dedo para que formes un equipo valioso.

El mes de junio es un mes para prestar atención a tu salud, pero empieza por aligerar tus rutinas. Te explico por qué: tu zona de la salud está regida por el signo Géminis. Este signo tendrá mucha tensión a lo largo del mes de junio y tenemos tres planetas en tensión con esa zona, aparte de que Saturno y Marte estarán retrogradando en Sagitario, lo que sugiere descanso.

La principal fuente de estrés es la mala administración de tus horas, la mala alimentación, viajes o falta de estabilidad emocional. Es tu responsabilidad que antes de llegar a ese mes tengas horas establecidas para comer y descansar.

Si eres mujer, este mes puede haber cambios grandes en tu cuerpo, por ejemplo un embarazo. Esto puede sacarte de tu rutina habitual y hacerte sentir muy cansada.

Por eso, lo mejor es trabajar menos y descansar más. También, debido a la presión de tu planeta Saturno, verás que tendrás que monitorear la evolución del embarazo o cualquier otra condición que tengas al momento, así que busca el mejor especialista que encuentres.

Será al final del año cuando Marte visite tu signo, del 27 de septiembre al 9 de noviembre, que te sentirás mucho mejor, más activa, fuerte y retomando los ejercicios para estar en forma.

tránsito a prestar atención

Las retrogradaciones de Mercurio son momentos a los que debes prestar atención porque se darán en signos de tierra como el tuyo. De hecho, el primero del año se dará en tu signo.

1° *Mercurio retrógrado entre Acuario y Capricornio*
Se inicia el 5 de enero en el grado 1 de Acuario
Termina el 25 de enero en el grado 14 de Capricornio

Esta retrogradación se da al mismo tiempo que el Sol está en tu signo, conectando con el poderoso Plutón; y Venus, planeta del deseo, también estará pasando por allí. Por eso, esta retrogradación tiene que ver con pensar bien cómo quieres verte. Y si estás por hacer un cambio de estatus, querrás mantener tus asuntos privados muy privados, hacerte cambios de *look* y probar algo diferente en cuestiones de salud o para tener hijos.

2° *Mercurio retrógrado en Tauro*
Se inicia el 28 de abril en el grado 23 de Tauro
Termina 22 de mayo en el grado 14 de Tauro

Esta retrogradación se da en la zona de los proyectos creativos y los hijos. Es lo que te comentaba, de intentar salir embarazada, pero si ya tienen niños se trata de pensar muy bien antes de tomar una decisión que le afecte dónde y con quién vives. Si no estás en pareja ni tienes niños, esto tiene que ver con un proyecto creativo que vale la pena pulirlo bien.

3° *Mercurio retrógrado en Virgo*

Se inicia 30 de agosto en el grado 29 de Virgo
Termina 22 de septiembre en el grado 14 de Virgo

Esta retrogradación se da justo cuando tu planeta Saturno al fin está arrancando directo, cuando al fin sientes que termina un proceso de ajuste o transición. Mercurio no se mete con eso pero puede atrasar asuntos legales, de visa, mudanza, conseguir el apartamento que deseas a tiempo y también en viajes. Sin embargo, todo lo que te atrasa te salva, y si lo que hace falta es otro asesor o abogado, aparecerá cerca del 2 de septiembre.

4° *Mercurio retrógrado entre Capricornio y Sagitario*

Se inicia el 19 de diciembre en el grado 15 de Capricornio
Termina el 8 de enero en el grado 28 de Sagitario

El año termina con otra retrogradación de Mercurio en tu signo, pero a diferencia del primero de 2016, para estas fechas hay aspectos muy dinámicos en el cielo. El atraso que Mercurio puede presentar se refiere a terminar asuntos pendientes antes de mudarte una vez más o de celebrar una boda o graduación. Esta retrogradación también puede coincidir con el final de un contrato, que ya no podías esperar más a que se acabara, para hacer algo diferente. ·

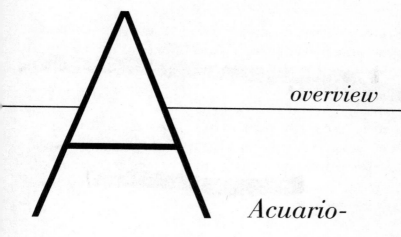

overview

Acuario-

En comparación con los años anteriores, el 2016 es tranquilo porque es consecuencia. Te explico, del 2012 al 2015 estabas trabajando la causa. Tuviste que pasar por muchos enfrentamientos contigo mismo para aceptar quien eres, lo que te gusta hacer y el tipo de personas con las que te quieres relacionar. Ahora en el 2016 se te empieza a poner todo en frente para que des el paso y honres lo que hay en ti, para que hagas esa transición. Uno de los temas donde te verás muy motivado a hacer cambios dejando atrás el miedo será en cuestiones de trabajo, ya que no querrás trabajar para alguien, sino para ti, y si te toca trabajar para una empresa, que sea al menos en algo que te apasione, pero notarás que no te sientes atraído a trabajar con jefes imponentes o en gobiernos limitantes. Esto no es nuevo, lo vienes pensando, y trabajar en cambiar esto te ayuda a que al final del año, de hecho, te estés mudando. Otro tema a trabajar es la aceptación de lo que quieres cambiar, para poder empezar a hacerlo en cuestiones de imagen y cuerpo. Te darás cuenta de que te presionaste por un estándar o que no te estás dando lo que necesitabas. Con un renacer espiritual y de consciencia aprenderás a tratarte mucho mejor.

El mayor punto de cambio en medio de todo esto serán tus grupos y amistades, ya que instintivamente te relacionarás con personas que piensan como tú eres auténticamente, también ayuda una mudanza de ciudad o empezar trabajo en otro lugar. Esto te hará sentir liberado y apoyado.

Por último, pero no menos importante, el amor también estará pasando por cambios. Puede que sea muy tarde para recuperar algo que perdiste el año pasado, pero estás justo a tiempo para aprender y no volver a cometer los mismos errores. A través de nuevos proyectos se darán muchas oportunidades para conocer a alguien nuevo, pero el reto es ese, atreverte a salir de donde ya no eres feliz pasando tus días e invirtiendo tu energía.

Si ya estás en una relación, el 2016 es un año en el que podrán vender lo que no necesitan, ahorrar y adquirir lo que aspiraban, que da estabilidad a tu familia. Todo esto requiere planificación y organización, aparte de estar consciente de cuáles son los mejores periodos, que comento a continuación.

No puedo empezar a contarte lo que trae el 2016 en el amor sin hablar sobre lo que aprendiste el año pasado. Debido a que el planeta de la expansión, que es Júpiter, estaba en la zona de socios y parejas al mismo tiempo que vivimos una fase retrógrada de Venus allí mismo, de mayo a septiembre del 2015 te diste cuenta de muchas cosas en cuanto a quién eres y qué quieres. Muchos Acuario se dieron cuenta de que podían recuperar a alguien que habían perdido y lo hicieron, lo trabajaron. Otros se casaron después de años de compromiso, y el resto se dio cuenta de que la relación en la que estaban no apoyaba sus ideales.

No importa el estado civil o la relación en la que estabas, el 2015 te mostró que la manera de relacionarte y comprometerte tenía que cambiar y así arranca el 2016, donde los que están comprometidos están más compenetrados y los que están solteros desean una relación real, alguien con quien puedan pensar en matrimonio.

Si eres de estas personas que está con ganas de empezar una relación, los mejores periodos para salir y conocer personas serán del 16 de febrero al 12 de marzo y del 7 de diciembre al 3 de enero del 2017. Estos periodos están marcados por la visita de Venus, planeta del deseo, a tu signo, lo que te hace mucho más atractivo. La diferencia entre el primer periodo y el segundo es que en febrero hay apoyo del Sol en tu signo y Saturno, planeta del compromiso, te ayuda a codearte y circular en grupos donde hay muy buenos partidos. El *downside* es que en ese momento Júpiter está retrógrado y puedes estar pensando en alguien del pasado, lo que sería una lástima, porque por asuntos profesionales se te están abriendo las puertas a lo nuevo y será a través de esos nuevos proyectos que puedes conocer a alguien muy especial. En el segundo periodo de Venus en tu signo, que es ya al final del año, Júpiter estará en Libra, así que el interés amoroso tiene un toque extranjero. Claro que esta es la opción para los que no aprovecharon a Venus el inicio del año, y para los que sí, este sería el periodo de compromisos y viajes con el ser amado.

Un buen periodo para enseriarse es el verano astral. De julio a septiembre, tendremos planetas visitando el signo Leo, así que será la temporada de compromisos y anuncios, pero también de asumir nuevas responsabilidades, algo natural cuando uno desea unir su vida a la de otra persona. Aparte de eso, tendrás el primer eclipse en diecinueve años que será de luna llena, lo que marca aún más un cambio de estatus sentimental. Esa luna llena es el día que se celebra el San Valentín en kabbalah, el día de las almas gemelas que se llama *Tu B'av*. Sin duda, el final de agosto y el inicio de septiembre serán memorables en cuestión de amor y compromisos.

Tu situación del hogar, estabilidad y familia se ven afectados por los eclipses en tu zona de dinero este año. Hay dos eclipses en Piscis, uno el 8 de marzo y otro el 16 de septiembre, que te ayudan a vender lo que no necesitas para tener liquidez o para cambiar hábitos de gastos. Como por la parte de trabajo y situación profesional estarás pasando por cambios, la meta del 2016 es recortar gastos hasta el final del año, que te sientas más tranquilo. Con los eclipses estarás considerando vender la casa u otras propiedades y mudarte a un lugar más adecuado a los planes del año.

A pesar de los cambios, en situaciones de familia el frente se ve único, porque no hay tránsitos mayores a esa zona. Eso sí, mayo tendrá a Venus y Mercurio retrógrado en la zona del hogar, así que ese será el periodo que coincide con hacer la transición a otro lugar, escoger uno que te guste, tener una idea de cómo lo quieres decorar.

Otro tema importante al hablar de hogar, son los hijos. Si no tienes hijos, estés buscando o no, junio es un mes donde hay muchas posibilidades de salir embarazada. Si ya tienes hijos, ese será el mes de hacer cambios para su beneficio o donde situaciones relacionadas con ellos tomarán mucho de tu atención. Con Saturno en Sagitario te darás cuenta de qué responsabilidades con ellos o qué pagos por sus clases y estilo de vida se hacen cada vez mayores, y que necesitas poner límites. Para quienes tienen hijos mayores, motivarlos a trabajar y aportar será importante.

prosperidad

En cuestiones de trabajo, crecimiento profesional y metas a largo plazo, el 2016 empieza con todo porque Marte, planeta de la acción, está en Escorpio, visita que hace una vez cada dos años y te llena de energía y determinación para hacer cambios en estos temas. Estarás muy determinado a hacer del 2016 un año en el que la meta relacionada a tu propósito se haga realidad; pero como es la energía del signo Escorpio, para que esto pase hay otra cosa a la que debes renunciar, así que cambiar de trabajo no sería algo raro al inicio del año, solo que debes hacerlo con una buena red de seguridad financiera, porque aunque Marte en Escorpio te pone en modo proactivo para hacer cambios, el planeta de la abundancia, que es Júpiter, estará retrógrado del 7 de enero al 9 de mayo. Si tienes dinero en el banco y ese colchón de seguridad u otro trabajo casi asegurado, salta, si no, lo mejor será esperar.

¿Por qué?

Porque debido a alineaciones de marzo a agosto, habrá pruebas en ese nuevo camino profesional que tomas. Solo sabemos que apenas deseamos algo aparece la oposición en el cambio. Eso es exactamente lo que sentirás a mitad de año cuando Marte, el mismo planeta que te lleva al inicio del año a hacer cambios drásticos en tu carrera, profesión o proyectos, empiece a retrogradar. Con esto no te digo que no hagas el cambio, y más bien, no tengo ni qué decir nada, ya que en los últimos tres meses notarás que estás pensando de más en hacerlo, cuando Saturno pasó por Escorpio, y juraste no trabajar más para ese jefe o en ese país y sus regulaciones que te tenían muy limitado. Por eso, al inicio del 2016 "hueles" la oportunidad de dar el salto, de una vez te aviso que bien puedes hacerlo pero que debes seguir hacia delante, porque tu eclipse, el 18 de agosto, te demostrará que fue lo mejor que pudiste haber hecho. Además, los últimos tres meses del año disfrutarás los frutos de haber tomado esa decisión, que te lo debías y estás en un mejor lugar. También puedes ver la mitad del año, que es el periodo de más retos en crecimiento personal, como una especialización o postgrado en lo que deseas hacer de por vida. Estarás empezando en un área, dándote a conocer, haciendo contactos, moviéndote en nuevos círculos y ¿sabes qué? Será haber tomado la decisión de cambiar de carrera lo que te hará tener nuevos amigos, desplazarte en un nuevo ambiente y conocer a alguien muy especial, así que como el efecto dominó, todo sucede a partir de la decisión de seguir tus instintos por encima del miedo y la seguridad que ya no te hace sentir vivo.

Mejores periodos para ver un avance

- De enero a marzo, Marte, planeta de la acción, estará en Escorpio impulsándote en cuestiones profesionales. Desde allí Marte estará en conexión con el planeta del poder, que es Plutón, y con el de la abundancia, que es Júpiter, que aunque está retrógrado pueden crear un patrón energético que te ayude a vender una propiedad o liquidarte, lo que te dará la base para saltar en la dirección que deseas. Para ese momento Venus estará acercándose a tu signo, algo que te lleva a atraer a las personas claves para lograr eso. Sin duda, los primeros meses del año debes aprovecharlos. Lo único que tienes en contra es Mercurio retrogradando en enero y tus miedos. El reto acá está en ser fiel al deseo que está gestándose dentro de ti desde el 2012 hasta acá, y no volver a caer en "preservar la seguridad y lo conocido" ya que de ser así, de hacer lo mismo que has hecho en los últimos años, te verás muy apretado a mitad de año.

· De marzo a inicios de agosto, mientras Marte y Saturno están retrogradando, puede que sientas que el avance es lento, pero es seguro. Te recuerdo que la clave es tener mente de estudiante, de principiante, de darte a conocer, de hacer el esfuerzo extra para ir a eventos de la industria y que así se corra la voz de lo que haces. También te verás motivado a invertir en un publicista o un buen equipo de mercadeo, algo que se te ofreció al final del 2014, pero no quisiste. Ahora te darás cuenta de lo importante que es esta parte del trabajo, para hacer crecer lo que tienes entre manos.

· Será ya del 2 de agosto al 27 de septiembre cuando Marte y Saturno estén directos y avanzando juntos en el signo Sagitario, cuando después de mucho esfuerzo, empieces a disfrutar de los resultados, siempre y cuando hayas aprovechado el inicio del año para tomar la decisión de cambiar de ramo o trabajo y no te hayas dispersado a mitad de camino.

· En septiembre y noviembre puedes esperar una gran oportunidad que promete seguridad personal. Para ese momento Marte estará visitando tu signo, algo que hace una vez cada dos años, y allí iniciarás como realmente te gusta, más organizado y con una entrada regular, haciendo lo que te gusta. Causalmente para ese momento el planeta de la abundancia que es Júpiter ya estará en el signo Libra, haciendo que tu servicio o producto sea más popular o que debas viajar para presentarlo en otros países. Puedes incluso tener que mudarte por trabajo, hablar de franquicias o conversar con personas que están lejos, que quieren ser parte del proyecto. Si estás planificando mudarte de país y necesitas visa de trabajo, será para estas fechas que logras lo que deseas, sin embargo, es el resultado de arduo trabajo a lo largo del año.

Otra oportunidad que te dará Júpiter en Libra a partir del 9 de septiembre es la de dar clases o escribir como segundo trabajo.

Sobre asuntos de dinero y deudas

Una vez cada doce años el planeta de la abundancia, que es Júpiter, visita el signo Virgo. Este ciclo que dura trece meses tiene el chance de ayudarte a liquidar propiedades que no necesitas, a poner en orden tus cuentas, a pagar lo que debas al gobierno o a una institución. Este también es un tránsito en el que debes enfocarte en ahorrar, más si tienes pareja, ya que tener la misma mentalidad puede ser un reto, pero si hay comunicación y saben por lo que están trabajando, irá bien. Júpiter en Virgo también puede ayudarte a conseguir un inversionista o socio que tenga dinero para trabajar en tu proyecto, tu visión o con tu talento. El mejor momento para aprovechar eso será cuando Júpiter esté directo, después del 9 de mayo.

prosperidad

Otro momento importante será cuando tengamos el eclipse en Virgo el 1 de septiembre cuando además Saturno y Marte ya estarán a tu favor. Ese es el mejor momento para asociarse, invertir, vender o dar el pago inicial de algo que será para tu futuro. Todo lo que hagas este año debe estar basado en una satisfacción a largo plazo.

Precaución: al momento del eclipse que presenta un gran momento de inversión, Mercurio estará retrógrado así que asesórate bien y revisa bien los documentos. Si eres de los que le tiene miedo a Mercurio retrógrado, firma antes del 29 de agosto que igual estamos en orbe al eclipse o espérate al 1 de octubre.

A lo largo del año tu salud se ve estable. Es al final de junio e inicios de julio cuando tienes las mejores estrellas para hacer cambios en tus hábitos, iniciar una nueva rutina o salir embarazada si es lo que deseas. La luna nueva en Cáncer del 4 de julio es el momento más importante para hacer estos cambios, y gracias a las alineaciones presentes, días antes y después, puedes verte haciendo cambios grandes en hábitos alimenticios, tanto que podrías dejar de comer carne permanentemente o dejar los lácteos.

Con Saturno en Sagitario, no solo te acompaña la voluntad a lo largo del año, sino que también estarás rodeándote de personas que se cuidan y te sentirás apoyado, aprendiendo mucho sobre cómo vivir mejor, ya que los últimos años tratabas de envolverte pero no te convencías.

Otra cosa que va a cambiar este año es la mentalidad de que puedes operarte de algo para resolverlo rápidamente. Te darás cuenta de que ir poco a poco y de manera orgánica es lo mejor, y tendrás apoyo de tu familia y amigos para ir paso a paso.

El tipo de ejercicio que haces también es un tema que estarás considerando, ya que debido a las alineaciones de Plutón, no te sentirás motivado a presionarte, sino a disfrutar el proceso. Incluir meditación o tener tu kit de ejercicios en casa cae muy bien, ya que al final del año te verás viajando y querrás tener todo a mano para entrenar desde donde desees.

tránsito a prestar atención

Al final del año, Júpiter ya en Libra está abriéndote las puertas al extranjero, personas que están lejos y se acercan y para los más jóvenes, a una relación seria o matrimonio puede darse.

Las últimas semanas del año, mientras Júpiter en Libra tiene alienaciones dinámicas con Plutón en Capricornio, Saturno en Sagitario y Urano en Aries (todos los grandes del cielo) será cuando hagas cambios más grandes en cuestión de relaciones personales y también comerciales, pues encontrarás una nueva manera de relacionarte o hacer negocios que te quita peso de encima. Esa será la máxima del último mes del año: delegar, dejar que tus hijos mayores aprendan a mantenerse solos, tomar más tiempo para ti y para tu vida personal. El 2017 es muy diferente al 2016, y el cambio no espera a enero sino a las tres últimas semanas del año. •

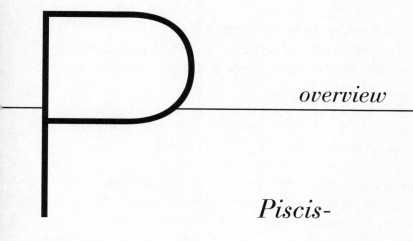

overview

Piscis-

El 2015 fue un año para superar muchos miedos. Circunstancias que venían acumulándose tuvieron un momento clímax, que prácticamente te obligaron a moverte de lugar real o emocional. Ante un inicio, una hoja en blanco y potencial para diseñar una nueva vida, te llenaste de ganas y también de una mezcla entre ambición y misión.

El 2016 lleva esto al siguiente nivel. Resulta que tu signo es parte protagonista de la alineación más importante del año que afecta a todos. Se trata de una cuadratura en T, que significa tensión dinámica que nos pone a trabajar rápido, y consiste en la conexión entre Neptuno en tu signo que se encarga de visiones, sueños y fantasías, de Saturno en Sagitario que se encarga de ponernos a trabajar en ellas y de Júpiter en Virgo que trae ayuda para lograrlo.

overview

Al leerlo suena maravilloso y en verdad lo es, porque todo lo que ves manifestado fue primero un sueño o una idea, pero de tenerla y alimentarla a trabajarla y manifestarla puede pasar mucho, pero no este año.

Esta cuadratura en T te llevará como nunca antes a trabajar con dedicación por lo que quieres ver hecho realidad.

La personalidad de Piscis es ir con el *flow*, y en ese sentido no vas a cambiar, lo que pasa es que ahora te vas a alinear con el *flow* del éxito, de crear resultados y no solo en el área profesional, sino también en la de relación de pareja, el tema más importante para ti en los primeros meses del año.

Si supieras que para ver a Júpiter en Virgo abriendo oportunidades de conocer tu alma gemela pasaron doce años, que para ver a Saturno mejorando tu estatus y preparación profesional pasaron veintinueve, te darías cuenta de que todo lo que pasó del 2012 hasta acá te preparó para aprovechar estas oportunidades, porque solo después de la verdadera oscuridad se aprecia la luz y tenías que aumentar tu capacidad para sostener y aguantar con alegría las bendiciones que nacen del compromiso.

Empieza el año y ya tenemos dos planetas en posiciones estratégicas para que logres un compromiso serio. Se trata de Júpiter, planeta de la expansión y abundancia en la zona de matrimonios, cosa que sucede una vez cada doce años, y de Saturno en Sagitario, que está ocupando la zona de éxito profesional y cambio de estatus civil.

Esto suena lindo, pero quiero que entiendas una cosa, ninguna de estas posiciones está impulsando el romance, las llamadas en juego o los mensajes de texto. Ambas posiciones se refieren a la vibración que atrae una relación con alguien que sabe lo que quiere, porque tú estás más claro que nunca en lo que mereces. Con esto no quiero decir que no habrá palabras lindas, romance, viajes, besos y mariposas en el estómago. La visita de Venus y el Sol a tu signo, en febrero y marzo, lo propician, pero esos planetas se mueven con rapidez mientras Júpiter y Saturno se mantienen en sus puestos recordándote que la meta es casarte o tener una relación con la que puedas hacer planes a largo plazo. Claro es que quizá no estás en edad para casarte o que ya estés casado, y en estos casos igual se mantiene la idea de estar en una relación que apoya tus metas, la cantidad de trabajo e impulso profesional que se presenta este año y que puedas mostrarte con esa persona como un frente unido, en vez de tener miedo de que hoy cuentas con su apoyo y mañana no. Ciertamente, estar en una relación incierta robaría demasiado la atención de oportunidades profesionales y de crecimiento personal que se presentan una vez cada veintinueve años, y eso sería injusto para ti.

amor

Mientras tengas eso claro, me atrevo a comentarte de los muchos periodos buenos para el amor, ya que abundan este año.

- *Ya desde diciembre del 2015, Venus y el Sol en Sagitario estarán acercándose a Saturno, que es el planeta del compromiso.*
  Estas fechas y hasta el 7 de enero son favorables para formalizar relaciones, celebrar compromisos y hasta matrimonios. Después del 7 de enero mejor no, porque Júpiter estará retrógrado en Virgo hasta el 9 de mayo.

- *A partir del 23 de enero tenemos a Venus en Capricornio y a Marte en Escorpio.*
  Esto es ideal para ti, si estás enganchándote con alguien que vive en el extranjero, para tener una amistad o relación formal, algo más. De todas maneras, este es un periodo de evaluación antes de hacer completamente pública la relación.

- *La visita del Sol y Venus a tu signo, al final de febrero y hasta el 5 de abril.*
  Sobre todo la estadía de Venus en tu signo te ayuda a atraer personas interesadas en ti. El detalle de este periodo es que tanto Júpiter como Saturno estarán retrogradando y tendrás tus dudas o puede ser que los compromisos de trabajo te resten atención de temas del amor. Sin embargo, este es un excelente periodo para cambiar tu *look*, sentirte y verte mejor.

- **La visita de Venus a Libra, que será del 29 de agosto al 23 de septiembre.**
  Otro periodo fascinante en cuestión de compromisos serios, no solo por este tránsito en sí, sino porque al mismo tiempo Marte y Saturno tienen un tránsito de compromisos muy fuerte, el más importante en treinta años por venir.

- **En diciembre, Júpiter estará en Libra en conexión con Saturno en Sagitario y otros planetas.**
  Esto creará cambios rápidos para cerrar el 2016 con broche de oro. Este es un periodo de matrimonios y asociaciones, de los que cambian dónde y cómo vives, cómo administras tu tiempo y a lo que te vas a dedicar después.

Así como hay periodos favorables, hay periodos de clímax. En verdad, es un año muy interesante en cuestiones del amor.

Para empezar con estos periodos clímax, este año tenemos dos eclipses en tu signo:

- El primero es el 8 de marzo y será eclipse de Sol. Aquí es cuando tu percepción de ti mismo cambia y también lo que buscas en otras personas. Una relación no conveniente para ti puede terminar en ese momento si te resistías a soltarla o una relación puede empezar, pero ese ciclo de relación apenas comienza.

- El otro será el 16 de septiembre, y será de luna llena. Relaciones existentes necesitan un cambio de visión y de estatus. Para las relaciones estables es el momento de apostar por algo más grande juntos, y para las relaciones inestables y que han pasado pruebas con la retrogradación de Marte y Saturno, será momento de decir adiós.

También tendremos un eclipse el 1 de septiembre muy favorable para las personas Piscis que para ese momento estén solteras.

Como verán, las oportunidades de conseguir y manifestar el amor en este año abundan, pero tomemos en cuenta que los eclipses Piscis-Virgo, para ti, son para manifestar tu alma gemela. Hay demasiadas expectativas con la idea del "alma gemela" cuando es una ley de atención y atracción que siempre atraemos lo que somos, no lo que seremos. ¿A qué me refiero con eso?

Uno solo ve lo que ES o mejor dicho, ves el mundo como ERES no como en verdad ES. Por eso, damos atención a lo que está en el espejo, a lo que refleja algo aceptado o algo arraigado y no reconocido dentro de nosotros. El espejo es esa persona que le encanta la misma banda que a ti y por eso van al concierto juntos, hay afinidad. El espejo también es esa persona que admiras porque reconoces en ella algo que es un potencial dentro de ti. Espejo TAMBIÉN es esa persona que te choca y te checa, porque está señalando algo que no has podido superar.

Entonces, hace falta superar la idea del "alma gemela", que puede estar muy por encima de lo posible, cuando en todo momento estamos atrayendo almas afines, cuya finalidad es hacernos despertar y sacudirnos para trabajar con nuestro potencial.

Desde ese punto de vista, si aprovechas las relaciones con almas afines, te preparas y abres para que tu consciencia pueda reconocer a su alma gemela. ¿Se entiende? Este año abundan las oportunidades para atraer justo lo que necesitas, tener una relación como nunca antes, pero tienes que abrir tu mente y entender que gemelo es eso: el que es igual. Te tienes que pulir y te tienes que aclarar, para que atraigas a alguien similar.

Momentos de tensión
Si hay un periodo a prestar atención, sobre todo las personas Piscis en pareja o planificando matrimonio, será del 25 de marzo al 13 de agosto cuando el planeta del compromiso, que es Saturno, y el de la acción, que es Marte, estén retrogradando juntos en Sagitario.

Si eres mujer, encontrarás que tu pareja no está segura de lo que desea, o que no ve en la misma dirección que tú hacia el futuro.

Seas hombre o mujer, puede que se trate de mucho trabajo y de situaciones de agenda profesional que en ese periodo creen separación, pero de ser así, los ayudará a tener perspectiva, pues las relaciones no se alimentan únicamente de momentos felices, sino de saber sobrellevar con armonía los periodos de cambio que la vida siempre arroja.

Como al final de este periodo vienen dos eclipses que tocan estos temas de pareja, del 1 al 27 de septiembre se decidirá.

Por último, pero no menos importante, hay fechas de la visita de Júpiter a tu zona de matrimonio y compromiso, que quiero que aproveches al máximo.

- El 13 de enero el Sol en Capricornio estará en trígono con Júpiter retrógrado en Virgo; es un buen momento para tener encuentros o reencuentros, también para crear un plan económico o presupuesto con la pareja.

- El 23 de enero Júpiter retrógrado en Virgo estará en el nodo norte de la evolución, el punto matemático de los eclipses. Una fecha muy especial cerca de la cual puedes conocer a tu alma gemela.

- El 10 de febrero Venus en Capricornio estará en trígono con Júpiter retrógrado en tu signo. Un día especial para sugerir lo que deseas hacer en San Valentín o para reconectar con alguien antes de esa fecha especial.

- El 8 de marzo Júpiter en Virgo estará en oposición al eclipse de Sol en tu signo. Esto trae propuestas y compromisos para quienes ya están en una relación que saben que tiene futuro.

- El 23 de marzo Saturno en Sagitario estará en cuadratura con Júpiter retrógrado en Virgo. Este es un momento de tensión entre tus metas profesionales y vida en pareja, pero puede ser también cuando se aclaren uno con el otro sobre el futuro de la relación. Mantén la calma, abre los canales de comunicación.

- El 9 de mayo Júpiter arranca directo en Virgo. Desde ese día y hasta el 9 de septiembre debes aprovechar al máximo a este planeta en la zona de las parejas, compromiso y matrimonio. Sé muy honesto contigo mismo y no sigas invirtiendo en una relación que no es para ser. Ahora, si estás con alguien que es para ti, este será el periodo de mayor disfrute.

- El 26 de mayo Júpiter en Virgo vuelve a estar en tensión con Saturno en Sagitario. Mucho tiene que ver con la discusión del 23 de marzo.

- El 4 de junio el Sol junto a Venus en Géminis estarán en cuadratura con Júpiter en Virgo. Momento de tomar decisiones sobre dónde van a vivir.

- El 24 de junio Júpiter en Virgo vuelve a llegar al nodo norte del karma, punto matemático de los eclipses, así que estarán por tomar juntos una decisión importante.

amor

- El 26 de junio Júpiter en Virgo estará en trígono con Plutón en Capricornio, lo que sería un momento muy bueno para celebrar el matrimonio, pero con Saturno en Sagitario aún retrógrado espérense un poco más. Sin embargo, a nivel material, estarán logrando mucho juntos.

- Del 22 al 27 de agosto Venus y Mercurio se unen a Júpiter en Virgo. Si aún sigues soltero, estas fechas son para salir y socializar.

Una vez que Júpiter entre en Libra, signo que no había visitado en doce años, empieza tu ciclo más importante en cuestiones de dinero, embarazos, confianza y entrega. Por eso, al final del 2016 y los diez primeros meses del 2017, los tránsitos importantes en el amor y relaciones continuarán.

hogar

Mayo, junio y julio son meses de planificación en cuestiones de hogar y familia. Los planetas estarán visitando el signo Géminis y en tensión con Neptuno en tu signo, con Saturno en la zona de trabajo y con Júpiter en la de parejas. Esos meses son para dar toda tu atención (en lo posible) a los asuntos de mudanza. Si ya tienes tiempo con tu pareja pero no viven juntos, es hora de decir que no puedes vivir con tus cosas en dos lugares. Si vivir juntos antes del matrimonio no es una opción, necesitan encontrar una solución. Si estás casado, este puede ser el periodo de tiempo en el que se habla de embarazos, segundo hijo o buscar una casa más grande, incluso porque alguien de la familia viene a vivir con ustedes.

Si estás soltero para este momento, también te verás resolviendo temas de alquiler y remodelaciones.

prosperidad

A lo largo del horóscopo, he mencionado sobre la visita de Saturno a tu zona de metas a largo plazo, éxito y cambio de estatus civil. La última vez que Saturno llegó a esta zona de tu horóscopo fue hace veintinueve o treinta años, muchos la estarán aprovechando por primera vez.

Para que puedas aprovecharla, hablemos un poco sobre el planeta Saturno. Si nunca lo has visto, te recuerdo que hay un planeta con anillos y es este. Los anillos representan los límites, y debido a que Saturno es un planeta que representa responsabilidad, se entiende que con más trabajo, más peso tenemos, más al ras del suelo vivimos y necesitaremos poner límites para cumplir lo que prometemos.

Esto es bueno para ti porque:

- Piscis es el signo de los sueños y fantasías. Saturno hace que hagas realidad lo que imaginas. Los anillos no te dejarán dispersarte, hay que hacer el trabajo y cumplir.

- Poner límites es algo que siempre le ha costado a Piscis. Los límites no separan, de hecho, unen, ya que el respeto se hace sentir. Debido a la naturaleza del signo Sagitario, que es donde Saturno está y tu zona de éxito, lo que puedes experimentar es mucha popularidad y los límites serán necesarios para que otros no invadan tu vida privada.

Con Saturno en la zona del éxito, no solo viene más trabajo sino también más madurez. Este planeta trae oportunidades en el 2016 para que lideres una empresa o marca, tendrás que dar la cara.

Gracias a la posición de Júpiter en Virgo, tendrás personas trabajando para ti, pero que demandan mucho de tu atención, así que tienes que establecer límites para tener tiempo entre lo que te toca hacer a ti y supervisar lo que hacen ellos.

Un consejo que te doy con Saturno en la zona de éxito...

Es que te vistas y manejes como alguien que ya está donde tú imaginas estar. No se trata de ser banal, sino de que cuando Saturno está en esa posición parece que todo el mundo está mirando y por la naturaleza del signo Sagitario, que es donde está, hay viajes, presentaciones, giras, conferencias y más, lo que requiere que estés de punta en blanco la mayoría del tiempo.

Los mejores periodos para presentar proyectos, dar presentaciones y para el éxito.

- Al inicio del año tendremos al Sol entrando en Capricornio, pero llega cargado de la energía de Saturno, y para el momento Venus está en Sagitario. A menos que esta energía esté manifestando un cambio de estatus civil, viene un gran reconocimiento público.

prosperidad

- Del 2 de agosto al 27 de septiembre, cuando Saturno y Marte estén directos y trabajando juntos en tu signo, después de un periodo que va de marzo hasta agosto, que será de muchísimo trabajo, tareas, reorganización y pruebas, puede que un gran proyecto consuma tu atención en la mitad del año, entonces será después de 2 de agosto cuando puedas empezar a disfrutar de los beneficios.

Dinero

Tu zona del dinero la rige el planeta Urano, que después de tres años al fin "funciona" a tu favor. Resulta que del 2012 al 2015 Urano estaba tratando de que ganarás dinero por emprendimiento propio y de manera independiente. Esos tres años estuviste agarrándole el *swing*, pero al fin, ahora que no está en tensiones con otros planetas, puedes pulir ese modelo de negocio o conseguir más trabajos y proyectos sin perder tu libertad creativa. Si aún no trabajas por tu cuenta pero te gustaría, abril es un mes para planificarlo y empezar, aunque no lo logres hasta los últimos tres meses del año, de hacerlo bien, ganar cuánto te gustaría. Para ese momento también tendremos a Júpiter en Libra, que es tu zona de inversiones, cuentas conjuntas y finanzas. Ya aquí no estamos hablando de ganar un salario o medir cuánto ganas al mes y cuánto gastas, para no perder la paz. Con Júpiter en Libra, de septiembre del 2016 a octubre del 2017, verás grandes ganancias, pero también se debe a una asociación, inversionista o matrimonio.

En el 2015 tuviste tránsitos fuertes en la zona de salud, rutinas y calidad de vida. Si no hiciste los cambios que llamaban tu atención, en el periodo que fue de mayo a septiembre, este año puedes hacerlos de julio a agosto cuando el exceso de trabajo prácticamente te obligue, o si eres mujer, porque estás embarazada o considerando salir en estado.

Un buen periodo para cambiar tus rutinas y asegurarte de tener más tiempo de disfrute y descanso será del 12 de julio al 5 de agosto, cuando Venus está en el signo Leo.

Con el eclipse del 1 de septiembre puedes conseguir un buen compañero para hacer ejercicios o tu pareja te ayudará a encontrar la motivación. Si estás considerando contratar un servicio para mejorar tu alimentación o un entrenador, el inicio de septiembre es el mejor momento.

tránsito a prestar atención

Como ya sabes, este año tienes muchas fechas y periodos importantes en el amor, pero hay una retrogradación de Mercurio a la que debes prestar atención, sobre todo si tú y tu pareja están planificando algo.

Este periodo de Mercurio retrógrado en Virgo va del 30 de agosto al 22 de septiembre y coincide con el periodo más importante para ti en cuestión de compromisos de amor y con socios comerciales.

Cuando dos tránsitos chocan de esta forma entre sí, hay que evaluar cuál es el más importante. Sin duda, con la unión de Marte y Saturno en Sagitario (para lo cual han pasado treinta años) debes aprovechar este momento para consolidarte con tu pareja, para tomar una decisión que cambia el futuro de la relación. Mercurio retrógrado al lado de eso es un tránsito menor que sugiere revisar lo que firman, lo que acuerdan y abrir los canales de comunicación honesta para saber que están en la misma página.

También puede tratarse de que te reúnas con alguien del pasado y esta vez sí se comprometan en serio, lo que nos haría entender que cuando algo es para ser, el periodo de reflexión que ofrece Mercurio retrógrado es un regalo. •

El 2016 trae la manifestación material de un cambio que estaba gestándose dentro de nosotros desde el 2012 hasta acá. Estuvimos pasando por duras pruebas para entender que es a nivel de causa que podemos cambiar las cosas. Ya con la semilla del cambio lista para ser sembrada en mejores condiciones y circunstancias –mejor nivel de consciencia– estamos gestando un mejor porvenir.

Con esto no quiero decir que el 2016 no tiene retos. Como leyeron en sus horóscopos, cada signo tiene un área por pulir, pero lo bueno es que vamos a cumplir lo que nos prometemos y no dejaremos que se nos escape la intención de las manos.

El 2016 es un año de manifestación, y ahora que conocemos los mejores periodos para hacer los cambios, añadimos pasión y determinación.

No dejemos que nuestros sueños sean solo sueños. ·

¡Feliz año!